CO-AXT-835

Le cheval venu de la mer

Titre original :
The Horse from the Sea

87, quai Panhard et Levassor. 75647 Paris cedex 13

VICTORIA HOLMES

LE CHEVAL VENU DE LA MER

Traduit de l'anglais (Grande-Bretagne)
par Dominique Mathieu

Castor Poche Flammarion

Les principaux personnages

À Errislannan :

Honora Donovan, « Nora », la benjamine.
Tom Donovan, son père.
Maria, sa mère.
Ann, une sœur.
Megane, « Meg », une sœur.
Sean, un frère, marié à Rua Foyle, résidant au-delà du cap d'Errislannan.
Colm, un frère.
Mor, le fiancé d'Ann, résidant avec sa famille au-delà du cap.
Donal Foyle, un voisin.
Nuala, sa femme, une guérisseuse.
Clara, leur fille, du même âge que Nora.

Rua, leur fille aînée, épouse de Sean Donovan.

Au château d'Aughnanure :
Murray O'Flaherty, le chef du clan, seigneur du château.
Kenneth, « Ken » Foyle, fils de Donal Foyle, engagé comme *kern* (soldat) au château.
Alaric Campbell, un des mercenaires écossais à la solde de Murray O'Flaherty.

À Sraith Salach (entre le château d'Aughnanure et les falaises d'Errislannan) :
Mainie, une sœur de Nora.
Fionn MacGowan, son mari.
Ronan MacNichol, forgeron, cousin des Foyle.

Les « voyageurs » :
José Medovar, un navigateur espagnol.
Le père Francis, un prêtre itinérant.
Dan Devlin, un marchand de chevaux.
Brenan Odoyne, un colporteur.

Sans oublier Lir, Dunlin, Ballach, Fiach...
et la petite vache noire...

Le comté de Galway
Irlande, 1588

Chapitre I

— Honora Donovan ! Tu viens danser ?

Nora sursauta. Elle resserra sa cape de laine autour de ses épaules et scruta la pénombre au fond de l'étable, au-delà des poneys.

— Qui est là ?

À peine eut-elle parlé que le chant aigu d'un violon, rythmé par un tambourin, lui parvint de la grande salle des banquets, de l'autre côté de la cour du château. Le poney qu'elle venait d'installer pour la nuit fit un pas de côté, troublé par ce bruit peu familier. Nora, pour le calmer, caressa son encolure tiède et encore humide.

— Tout doux, Ballach.

La jument hocha la tête et frotta son museau contre la manche de la jeune fille, y laissant une trace d'écume. Nora l'essuya et l'homme près de la porte ricana.

— C'est toi, Kenneth Foyle ? demanda-t-elle en reconnaissant la silhouette dégingandée. Qu'est-ce que tu fais à te cacher là, au risque d'effrayer ces pauvres bêtes qui ne t'ont rien fait ?

— Je t'attendais, bien sûr.

Ken s'avança, se baissant pour éviter de se cogner contre une poutre. C'était le fils de Donal Foyle, un voisin de la famille de Nora. Il s'était engagé à seize ans, comme *kern*, dans la milice de Murray O'Flaherty, seigneur du château d'Aughnanure, où étaient réunis ce soir les membres de son clan.

À l'occasion de la fête, Ken portait avec fierté une épée courte à son ceinturon, mais Nora le jugeait plus apte à manier un bâton de bouvier : lorsqu'ils ne se battaient pas contre des voisins belliqueux ou les soldats anglais, les kerns veillaient essentiellement sur les grands troupeaux de bétail du chef de clan.

Le jeune homme tendit la main à Nora.

— Allons viens, cesse donc d'installer ta

jument ! Sean et Rua t'attendent depuis longtemps dans la salle des fêtes.

Sean, un des frères de Nora, avait épousé Rua, la sœur de Ken.

Nora hésitait, tordant dans ses doigts le bord de sa cape. Ballach lui réchauffait le dos de son haleine tiède, et elle aurait voulu demeurer là encore un instant, au calme dans l'étable silencieuse.

— Je devrais tout de même m'assurer qu'elle ne manque pas de foin...

— Tu exagères, Nora ! Il y en a assez pour recouvrir un champ entier ! Traîne encore un peu, et tu vas manquer la fête !

La jeune fille haussa les épaules. On se moquait souvent d'elle parce qu'elle préférait la compagnie des chevaux à celle des humains. En effet, outre s'occuper de la douce Ballach, Nora passait son temps libre à galoper parmi les chevaux sauvages qui vivaient dans les montagnes du Connemara, près de chez elle.

Les musiciens marquaient une pause. C'était la seconde fois que la jeune fille venait au château d'Aughnanure à l'occasion d'une fête. Les Irlandais aimaient chanter et jouer d'un instrument, et, si Nora fuyait volontiers la foule et le bruit, elle aimait toutefois danser et chanter avec ses frères et leurs amis.

La musique reprit sur un joyeux quadrille. À en croire le claquement des pas sur le sol tapissé de roseaux, c'était une danse fort appréciée des autres membres du clan O'Flaherty.

— Allons, vite ! s'écria Ken en saisissant Nora par la main. Il ne faut surtout pas manquer ces morceaux, que Padraig joue à merveille.

Il l'entraîna au pas de course à travers la cour. Nora avait une tête de moins que Ken, et sa robe de laine l'empêchait de suivre les grandes enjambées du gaillard. Aussi s'arrêta-t-elle net au milieu de la cour.

— Assez, Kenneth Foyle ! souffla-t-elle, en écartant les mèches de cheveux noirs de son visage.

Le jeune homme se retourna, les mains sur les hanches puis, ironique, lui fit une courbette exagérément basse.

— Sachez que Murray O'Flaherty, le plus redoutable chef de clan du comté de Galway, se réjouit d'avance de votre présence, Nora Donovan. Tu vas le faire poireauter longtemps, dis ?

— Il ne s'attend sûrement pas à ce que j'apparaisse comme un ectoplasme surgi des marécages ! répliqua-t-elle en ajustant sa robe et en lissant les plis de sa cape.

En vérité, Nora doutait fort que le maître des lieux ait la moindre idée d'où elle sortait. Sa famille ne figurait pas parmi les plus importantes du clan O'Flaherty.

Son père, Tom Donovan, cultivait une modeste parcelle de terre surplombant la mer, au-delà des monts du Connemara, mais il fournissait à la famille du chef un honorable quota d'avoine et de beurre. De plus, Colm, le fils aîné, avait contribué à la fête en apportant un baril d'huîtres salées.

Murray O'Flaherty était un homme généreux qui organisait des fêtes à longueur d'année. Celle de ce soir célébrait une bonne moisson bien engrangée, pour laquelle on s'efforcerait de payer le moins de taxes possible aux lords anglais résidant dans la ville de Galway.

Satisfaite de sa toilette, Nora s'avança de nouveau, mais plus lentement, la musique, les pas de danse et les conversations s'amplifiant à mesure qu'elle s'approchait de la salle des banquets.

Murray O'Flaherty l'avait fait construire hors de l'enceinte de son manoir. Les invités n'étaient autorisés à accéder qu'à ce bâtiment.

La salle s'ouvrait sur la vaste cour où les paysans de la région se rassemblaient les jours de marché. Elle était flanquée de cabanes en bois où résidaient les domestiques, et de l'étable où, ce soir, les invités abritaient les chevaux.

Le tout était entouré d'une seconde enceinte très épaisse et haute de trois mètres.

Éblouie par la lueur d'innombrables bougies, Nora resta quelques instants à l'entrée de la salle qui lui paraissait au moins deux fois plus grande que la chaumière de sa famille.

Boucliers, haches, lances et épées pendaient aux murs, recouverts à certains endroits par les capes des invités. Une longue table s'étendait le long du mur du fond. Elle était faite de portes reposant sur des tonneaux de bois, et bordée de bottes de paille faisant office de sièges.

Celles-ci étaient disposées sur un seul côté, celui du mur, de sorte que personne ne tournait le dos à l'entrée. Il n'était pas rare qu'un chef de clan voisin profite d'une fête pour attaquer un rival.

Nora avait quatorze ans. En tant que benjamine de sa famille, elle n'ignorait pas l'honneur qui lui était octroyé de pouvoir accompagner ses aînés à une réunion du clan.

Elle avait passé deux jours à grelotter en attendant que sa cape fraîchement lavée sèche sur les buissons au sommet des falaises et avait été si excitée qu'elle n'avait pas fermé l'œil de la nuit.

Elle songea avec une pointe de nostalgie à la grève en contrebas de sa maison, où les poneys sauvages venaient piétiner les algues pour en lécher délicatement le sel. Dunlin, la jument couleur de fougère sèche, y était peut-être en ce moment, avec Dub, son poulain à la robe d'ébène. La dernière fois qu'elle l'avait vu, un des antérieurs du jeune poney était enflé, et elle lui avait donné à manger une poignée de centaurées pour atténuer le mal.

— Nora ! Te voilà enfin !

Une jeune femme blonde s'extirpa de la foule des danseurs et accourut, entraînant derrière elle un homme aux larges épaules qui dépassait d'au moins une tête l'assemblée entière. Elle s'arrêta devant Nora et l'observa d'un œil critique.

— D'où sors-tu donc, Honora Donovan ? D'un tas de fumier ?

— J'ai installé Ballach dans l'étable, c'est tout, répondit Nora sur la défensive.

Ann n'avait que trois ans de plus que Nora, mais elle traitait toujours sa petite sœur comme si elle sortait à peine de ses couches. Et face à sa chevelure dorée et soignée, à sa robe immaculée en dépit de la poussière et de la chaleur du bal, Nora se sentait un peu souillon.

Le jeune géant à la crinière noire qui se tenait derrière Ann lui fit un clin d'œil complice.

— Bien le bonsoir, Nora, dit-il en souriant, la voix grave comme un roulement de tonnerre.

— À toi de même, cher Mor.

Ce surnom, qui signifiait « grand », convenait parfaitement au soupirant d'Ann. Il partageait avec leur frère Colm une barque avec laquelle ils pêchaient, près des côtes, les huîtres qu'ils vendaient au marché.

— N'y aurait-il que deux des filles Donovan présentes ce soir ? lança une voix d'homme près de la porte.

Chapitre 2

Nora reconnut Dan Devlin, un homme encore jeune, maigre et élancé, aux cheveux clairs et aux yeux verts, marchand de chevaux de son métier. Il n'appartenait pas au clan O'Flaherty mais assistait à toutes ses fêtes, attelant derrière sa charrette de nombreux poneys.

— Tu cherches sans doute Megane ? lui demanda Ann d'un ton espiègle.

— Et pourquoi pas ? répondit Devlin en souriant. Elle finira forcément par m'accepter.

— Ma sœur ne songe pas à se marier avant des lustres, laissa échapper Nora, surprenant son entourage.

Gênée, elle baissa les yeux. Elle aurait souhaité que Meg fût présente pour repousser elle-même les avances de Dan. Cela faisait des mois qu'il lui avait demandé de l'épouser et Nora ne pouvait comprendre pourquoi sa sœur tardait tant à le refuser une fois pour toutes.

— Peu importe, j'attendrai, répondit le marchand de chevaux, les yeux brillants comme ceux d'un chat prêt à bondir sur sa proie.

Nora serra les poings sur les pans de sa cape, prête à rétorquer, lorsque Mor lui posa une main sur l'épaule.

— Doucement, lui murmura-t-il à l'oreille. Il cherche à t'irriter. Tu le connais.

Nora respira profondément et s'efforça de croiser calmement le regard amusé de Devlin.

— Ballach se porte à merveille, merci. Je peux t'assurer que, pour l'instant, nous n'avons nul besoin d'un autre cheval.

— Colm sera en tout cas heureux d'apprendre que tu as pensé à lui, ajouta Mor à l'adresse du marchand.

— Bien. Dans ce cas, voulez-vous bien rappeler Meg à mon bon souvenir ? Je reconnais là-bas un homme susceptible de m'acheter une jument par trop agressive. Pourvu qu'elle ne lui décoche pas un coup de sabot avant qu'il accepte ! Veuillez m'excuser.

Ann le suivit du regard en pinçant les lèvres.

— J'espère que Meg aura le bon sens de ne pas épouser cet individu, quoi qu'il lui promette. C'est une véritable anguille.

Autour d'eux, la fête battait son plein. Jamais Nora n'avait vu tant de gens rassemblés en un seul endroit. Elle reconnut certains habitants de sa région, mais la plupart des invités lui étaient inconnus. Les familles étaient pour la plupart protégées comme la sienne par Murray O'Flaherty et ses proches.

Le patriarche avait engendré douze fils et, à en croire la marmaille qui rampait au sol à agacer les chiens, il avait suffisamment de petits-enfants pour créer à lui seul son propre clan.

L'attention de Nora fut attirée par des acclamations et le choc des chopes sur la table. Une demi-douzaine d'hommes barbus aux cheveux longs jouaient aux dés. Se voyant observés par la jeune fille, ils s'écrièrent de nouveau en brandissant leurs chopes vers elle, et elle se sentit rougir.

— Viens donc t'asseoir avec nous, la gamine ! lança l'un d'eux.

Ses cheveux et sa barbe étaient de la même couleur que la fourrure de renard qui lui recouvrait l'épaule, et Nora, fascinée, remarqua que ses yeux étaient aussi d'un même brun rouille.

Mor attira la jeune fille ailleurs.

— Méfie-toi de ces hommes-là, lui dit-il à l'oreille. Surtout de celui à la pelisse de renard. Il a cherché des noises toute la soirée, avec cette bande de gibiers de potence.

— C'est vrai qu'il a l'air sauvage, acquiesça Nora.

Ces hommes étaient de féroces mercenaires venus d'Écosse, prêts à se battre à mort moyennant bonne solde. Or, de toute évidence, Murray O'Flaherty payait généreusement ces guerriers qu'il employait uniquement afin d'assurer la sécurité du château et non de s'occuper du bétail, à l'instar de Ken et des autres kerns.

Portée par le mouvement collectif de la danse, Nora se trouvait de l'autre côté de la salle quand une nouvelle clameur, plus houleuse cette fois, s'éleva du coin des joueurs.

Chacun se déplaça pour voir ce qui se passait et le violoniste lui-même baissa son archet, tapant le percussionniste sur l'épaule pour faire taire le tambourin.

Nora, sur la pointe des pieds, tendit le cou, mais ne vit que des ombres projetées au plafond. On entendit des cris, puis un bruit de chute, comme celle d'un tonneau qu'on renverse.

— Je vais te montrer ce qui arrive quand tu triches ! hurla une voix d'homme au fort accent écossais.

— Qui traites-tu de tricheur, Alaric Campbell ?

Un étrange craquement retentit alors, suivi d'un cri et du bruit d'une masse tombant à l'eau. Le son faisait encore écho dans toute la salle lorsqu'une voix de centaure brailla :

— Qui ose troubler ainsi ma fête ?

La foule s'écarta prudemment et Nora vit un homme se lever du seul vrai siège de la salle, un robuste fauteuil de bois aux dos et accoudoirs élevés, sculptés et recouverts de fourrure.

Il n'était pas grand – un observateur hardi lui aurait même attribué une taille inférieure à la moyenne – mais sa robuste carrure, ses longs cheveux gris mêlés à sa barbe et la richesse de sa lourde cape bordée de fourrure lui conféraient une telle aura de puissance que son entourage en paraissait amoindri.

Nora aurait deviné sans mal, si elle ne l'avait déjà vu, que cet homme riche et imposant n'était autre que Murray O'Flaherty, le redouté chef de guerre du comté de Galway.

— Où est Campbell ? demanda-t-il, le regard noir de fureur.

Nora se demanda comment, en effet, l'homme couleur de renard avait pu disparaître de manière si soudaine.

L'un des mercenaires marmonna quelque chose qu'elle ne put entendre, et une rumeur d'effroi traversa la foule.

— Qui a fait cela ? vociféra O'Flaherty. Je le punirai, par tous les dieux !

Ken, les cheveux en bataille et le visage luisant, rejoignit Nora.

— Viens vite ! chuchota-t-il.

Il lui prit la main et l'entraîna vers l'autre extrémité de la salle. Il la poussa devant lui de manière à ce qu'elle puisse voir le bout de la table où les mercenaires avaient été assis. La porte qui servait de plateau avait été renversée, jetant à terre chopes, pichets et quartiers de viande pour le bonheur des chiens, dont nul ne se préoccupait.

Murray O'Flaherty, vu de dos, faisait face à un homme brun, à la silhouette élancée, qui semblait fuir le regard de son chef. Alaric Campbell, le mercenaire à la pelisse de renard, n'était nulle part.

Ken attira l'attention de Nora en tirant sur sa manche. Il lui montra du doigt un carré noir qui semblait tracé sur le sol.

— Tu sais ce que c'est ?

Comme il parlait, Nora se rendit compte que la forme noire était en réalité un trou béant entre les dalles. Elle savait que la rivière passait sous le château et devait de ce fait couler sous la salle des banquets. Le sol aurait-il cédé sous Alaric, le faisant plonger sans espoir dans l'eau noire et glacée ?

— C'est une idée de Murray, expliqua Ken comme s'il devinait ses pensées. Un moyen pratique pour se débarrasser des invités fâcheux, n'est-ce pas ?

Nora, horrifiée, se tourna vers lui.

— Personne ne peut survivre à une telle chute !

— Tu crois que le maître s'en soucierait ? La rivière n'est qu'à hauteur d'homme, mais n'importe qui en état d'ivresse aurait du mal à lutter contre le courant et finirait au fond de la mer.

Alaric Campbell n'était pourtant pas un ennemi, et Nora comprenait la fureur de Murray O'Flaherty de constater que quelqu'un de sa maison avait noyé l'un de ses mercenaires.

On s'affaira de nouveau autour du trou. Un valet avait fait glisser une épaisse corde par la trappe d'où résonna, à travers la salle silencieuse, un bruit d'éclaboussures suivi d'un appel étouffé.

— Dépêchez-vous, voyons ! s'écria Murray O'Flaherty.

Plusieurs hommes saisirent la corde et Nora entendit comme un frottement de bottes contre la paroi du puits. Puis la tête d'Alaric apparut enfin, les cheveux plaqués contre le visage et les épaules, sa pelisse de renard noircie pendant comme une algue. Un filet de sang lui coulait sur le visage, mais Nora fut soulagée de le voir sourire.

— Je te revaudrai ça, Rhidian, jura-t-il en se hissant hors du trou.

— Je n'ai rien à craindre d'un homme qui se laisse si facilement prendre par surprise, répondit l'homme brun en ricanant.

— Assez ! hurla O'Flaherty. Toi, le barde, tu es ici pour jouer de ta harpe, pas pour noyer mes meilleurs guerriers ! Quant à toi, Alaric Campbell, va cuver ta bière dans la tour de guet est !

— Aïe, souffla Ken à l'oreille de Nora. La tour surplombe une fosse à purin qui n'a pas été vidée depuis des lustres. L'odeur est telle que même les rats gardent leurs distances.

Nora réprima l'envie de rire car elle essayait d'entendre à présent ce qu'Alaric disait à son chef. Les sonorités étaient proches de l'irlandais, mais non les mots.

De par la présence des troupes anglaises, Nora avait appris quelques mots de leur langue. Elle avait acquis aussi quelques bribes de castillan, grâce aux pêcheurs espagnols qui, l'été, venaient sur les côtes irlandaises saler le hareng pêché en haute mer.

Alaric Campbell, lui, ne s'exprimait dans aucune de ces langues, et elle en conclut qu'il parlait dans son dialecte natal, celui des Pictes d'Écosse.

Murray O'Flaherty s'exprima pareillement, de sorte que seuls les mercenaires comprirent sa réponse. Il fronçait tant les sourcils que l'on ne voyait presque plus ses yeux, et Nora lui trouva l'air las, comme s'il avait assez de soucis sans qu'on perde ses hommes dans une trappe.

L'Écossais soutint longuement le regard de son chef, puis hocha brièvement la tête avant de quitter la salle. La foule s'écarta sur son passage, ne fût-ce que pour éviter d'être aspergée par le balancement de sa pelisse trempée.

Le barde Rhidian ramassa sa harpe, en pinça quelques cordes et, tête baissée, chantonna discrètement quelques notes.

Murray O'Flaherty balaya le bord du trou d'un coup de botte.

— Replacez la dalle, ordonna-t-il en retournant s'asseoir.

Deux serviteurs se précipitèrent pour remettre le bloc en place.

Les bords épousaient si parfaitement ceux des pierres voisines qu'il était presque impossible de le distinguer des autres. Pourtant, Nora remarqua quelques brins de chanvre dépassant sur l'un des côtés, et elle conclut que personne n'avait pensé à remonter la corde qui, restée coincée, devait pendre désormais dans le noir.

Elle s'apprêtait à en aviser Ken quand la porte s'ouvrit brusquement et quelqu'un cria :

— Brenan Odoyne est arrivé !

— Bienvenue, colporteur ! s'écria Murray O'Flaherty en levant sa chope en signe de bienvenue.

Chapitre 3

Odoyne était un marchand ambulant, qui voyageait de villes en villages, sa mule chargée de sel, d'épices, de têtes de bêches et, parfois, de rouleaux de tissu bien plus doux que le lin tissé dans les foyers.

Il posa son fardeau au milieu de la salle et les femmes s'approchèrent, impatientes de découvrir les nouveaux trésors qu'il proposait.

Comme elle supposa que la musique ne reprendrait pas de sitôt, Nora fut tentée de s'éclipser afin de rendre visite à Ballach dans l'étable, loin de la foule bruyante et transpirante.

Or, Murray O'Flaherty se leva et dispersa les femmes pressées autour du marchand.

— Vous ferez vos emplettes plus tard, mesdames ! Assieds-toi, Brenan Odoyne, et rapporte-nous les dernières nouvelles de Galway. Holà ! Qu'on nous apporte du vin !

La ville de Galway était interdite à tous ceux du clan O'Flaherty, les notables reprochant au chef de guerre de semer le trouble parmi les clans des environs.

De ce fait, la famille de Nora était également exclue des murs et ses frères en étaient réduits à ne porter leurs huîtres qu'aux confins de la ville. Nora les avait pourtant accompagnés jadis, avant l'interdit, et elle en gardait un vague souvenir de ruelles étroites et surpeuplées entre de hauts bâtiments de pierre grise.

Aussi, puisque Murray O'Flaherty ne pouvait franchir les portes de la cité, il était avide de nouvelles, et les témoignages du marchand l'intéressaient bien davantage que ses denrées.

— Peut-être sait-il où en est l'Armada ? souffla Ken.

Nora hocha la tête. Comme tous ceux qui étaient présents, elle avait entendu parler de l'imposante flotte envoyée par le roi d'Espagne pour convaincre la reine Élisabeth d'Angleterre de reconnaître le pape comme souverain pontife de l'Église catholique.

Le père d'Élisabeth, Henri VIII, avait rompu toute relation avec Rome et s'était proclamé chef suprême de l'Église anglicane, et sa fille paraissait résolue à perpétuer le blasphème.

— Est-ce que les vaisseaux espagnols ont atteint l'Angleterre ? demanda l'un des mercenaires.

— Étant donné le nombre de soldats anglais que j'ai croisés ce tantôt, c'est à croire que la flotte est ancrée dans la baie de Galway, ronchonna un vieillard fumeur de pipe.

— Les Anglais sont des couards ! s'écria le mercenaire. Ils enverraient quatre douzaines d'hommes pour prendre d'assaut une fosse à purin !

— Il n'est quand même pas question que l'Armada s'en prenne à nous autres Irlandais ? demanda quelqu'un.

Ses voisins secouèrent la tête. Les Anglais avaient beau piller toutes les églises et abbayes d'Irlande, il était exclu que le peuple abandonne la religion catholique. Le roi Philippe d'Espagne n'avait donc aucune raison de s'attaquer à l'Irlande.

— Silence ! ordonna Murray. Laissez-le parler.

La salle obéit. Brenan Odoyne se redressa et ajusta sa cape.

— Justement, les Anglais craignent une invasion espagnole en Irlande.

Il y eut quelques exclamations de surprise, vite tues lorsque Murray O'Flaherty imposa le silence d'un geste de la main.

— On ne parle que de ça, à Galway, poursuivit le colporteur. Il y a cinq semaines, l'Armada fut défaite dans la Manche par la tempête et les flibustiers anglais. Les navires rescapés continuèrent vers le nord pour contourner la terre des Écossais. Ils ont été repérés au large de nos côtes à trois jours de cheval d'ici.

Nora, le cœur battant, se tourna vers Ken.

— C'est vrai ? Tu crois qu'ils vont nous envahir ?

— Chut, écoute ce qu'il en dit... Murray vient de lui poser la même question.

— Personne ne sait vraiment ce qui va se passer, répondit le marchand avec un haussement d'épaule. Il semblerait que le gouverneur anglais de Galway s'attende au pire : il a demandé qu'on lui envoie des renforts de Dublin.

Un autre mercenaire frappa la table et brandit sa dague.

— Catholiques ou non, nous ne laisserons pas ce château tomber aux mains des Espagnols ! s'exclama-t-il.

Des cris d'approbation s'élevèrent de toutes parts et les hommes brandirent leurs épées. Nora se demanda un court instant s'ils n'allaient pas se précipiter dehors, en masse, à l'assaut de vaisseaux invisibles.

Murray O'Flaherty appela au calme, le regard houleux.

— Il s'agit d'une affaire sérieuse, qui mérite réflexion. Mais pas ici. Suivez-moi, les hommes du clan, et toi aussi, Brenan.

Il s'enveloppa de sa cape et sortit, suivi de ses mercenaires et d'une partie des invités. Les femmes protestèrent entre elles, mécontentes de n'avoir pu profiter des offres du marchand.

— Vas-tu rejoindre les hommes ? demanda Nora.

— Non, répondit Ken. Je recevrai mes ordres quand Murray aura évalué la menace. Il voudra de toute façon renforcer la défense de nos murs contre les Anglais, s'ils multiplient leurs effectifs dans la région. Je peux te laisser ? Avec tant de monde au conseil, il me faudra sans doute monter la garde...

— Bien sûr, va !

Le jeune homme lui toucha le coude en signe d'adieu et disparut dans la foule. Nora rejoignit son frère Sean qui cherchait à rassurer sa femme, Rua.

— Je ne vois vraiment pas ce qui pourrait attirer les Espagnols chez nous, disait-il.

— Peut-être voudraient-ils que nous les aidions à combattre la reine Élisabeth ? suggéra Nora.

— C'est possible, mais ils seraient déçus. Murray O'Flaherty n'aurait aucune intention de sacrifier ses hommes pour une querelle qui ne nous concerne pas.

Nora espéra que Sean avait raison. Puis, chassant toute pensée de navires étrangers et d'invasions, elle aida Ann et Rua à étendre les couvertures pour la nuit.

Le soleil était déjà levé lorsque les jeunes Donovan quittèrent le château. Nora guidait la jument Ballach attelée à leur charrette. Ann et Rua étaient assises à bord, Mor et les frères suivaient derrière.

Chemin faisant, ils échangèrent des nouvelles et des plaisanteries avec les occupants d'autres voitures. Plus tard, aux croisements des routes, on se fit des adieux avec promesse de se retrouver à la prochaine réunion du clan.

La colonne était réduite à une demi-douzaine de charrettes lorsque les voyageurs croisèrent l'escadron anglais. Tandis que les cavaliers s'approchaient à grand bruit de cliquetis de métal et de claquement de sabots ferrés sur les pavés, on rangea les chariots sur le bas-côté pour les laisser passer.

Nora s'efforça de baisser les yeux en attendant que la troupe passe, tandis que ses frères restaient les bras croisés, observant les soldats en silence.

Comme les militaires anglais s'aventuraient rarement à l'ouest du pays, Nora n'en avait jamais vu de près, et elle céda à la curiosité. Adossée à l'épaule de Ballach, elle leva les yeux au passage du premier cavalier.

C'était un homme de grande taille au menton carré, des touffes de cheveux blonds dépassant de sous son casque. Ses longues bottes et son pourpoint de cuir étaient éclaboussés de boue et le fourreau de son épée battait la cadence à mesure qu'il talonnait sa monture.

Les soldats montaient des chevaux de combat, des hongres puissants de couleur baie, élevés à Munster, plus à l'est. De plusieurs mains plus hauts que Ballach et les poneys sauvages de la montagne, ils étaient capables de supporter une journée entière le poids d'un cavalier en pleine armure.

Nora s'en étonnait d'ailleurs, elle qui se contentait, tout comme les autres membres de son clan, de monter avec un simple licou sur un semblant de couverture attachée par une corde.

Le second cavalier cria pour se faire entendre par-dessus le bruit de la galopade, du grincement des cuirs et du cliquetis des métaux.

— Si on s'arrêtait, mon capitaine, pour les interroger au sujet de la flotte espagnole ?

— Inutile, lança le premier en prenant les rênes d'une main pour se retourner vers son compagnon. Je doute que ces paysans crasseux aient jamais entendu parler de l'Espagne. Assurez-vous plutôt qu'il n'y a pas de venaison dans les charrettes, ces gens-là ne semblent pas comprendre que les daims de la forêt appartiennent à Sa Majesté la reine.

Là-dessus, le capitaine frappa des talons les flancs de son cheval qui se mit à galoper de plus belle.

Nora regarda ses frères de biais. Elle savait qu'ils comprenaient l'anglais tout autant qu'elle, mais leur expression n'avait pas changé d'un iota. Ils restèrent immobiles comme des pierres pendant que les soldats firent accoster leur monture tout près des charrettes, pour s'assurer en fin de compte qu'elles contenaient deux jeunes femmes, mais pas le moindre gibier.

Chapitre 4

Lorsque la troupe se fut éloignée, Mor, Colm et Sean se remirent en route sans prononcer un seul mot. Nora claqua la langue pour faire avancer Ballach, et les autres charrettes se remirent également en route.

Le danger passé, la jeune fille constata qu'elle tremblait, bien qu'elle n'eût personnellement rien à craindre de la part des Anglais tant qu'elle n'était pas surprise à pratiquer les rites catholiques. C'est pourquoi sa famille et leurs voisins célébraient la messe dans l'une des caves le long de la plage, en laissant un guetteur au sommet de la falaise.

Ils s'arrêtèrent pour la nuit à Sraith Salach, un hameau situé au bord d'un lac, à mi-chemin entre le château d'Aughnanure et leur maison familiale, à Errislannan.

La sœur aînée de la famille, Mainie, y vivait avec son mari, Fionn MacGowan, et leurs trois enfants. Le couple n'avait pu assister à la fête, leur dernier-né ayant à peine un mois. Nora s'inquiétait d'ailleurs de la rapidité de croissance de sa famille dans des terres si arides où sévissait tant de pauvreté.

La soirée de retrouvailles fut conviviale, et Nora ne tarda pas à s'endormir en songeant à la fête. Les hommes, eux, blottis dans leur couverture près du feu, discutaient essentiellement des rumeurs autour de l'Armada.

Ils reprirent la route le lendemain de bonne heure. Ils voyageaient seuls à présent, et le lourd silence n'était interrompu que par le grincement des roues et le bruit de succion des sabots de Ballach dans la boue. Nora leva la tête pour observer la montagne qui se dressait à droite de la piste et ressentit soudain une impulsion familière.

Quelque part dans ces hauteurs désertes vivaient les poneys sauvages, s'élançant le long des cimes en se jouant des rochers et des pierres pour paître dans d'étroits vallons tapissés de tourbe.

Elle repéra justement un troupeau lointain, qui progressait lentement à flanc de coteau, recherchant sans doute de rares touffes d'herbe, mais elle comptait trop de croupes brunes et louvettes pour que ce soit le groupe de Dunlin.

Colm, qui marchait à ses côtés, suivit son regard.

— Tu ne serais pas en train de guetter tes chers poneys, par hasard ?

Nora, rougissante, le dévisagea. Sa famille ne comprenait guère son engouement pour les chevaux de la montagne, impossibles à dompter et trop fougueux pour tirer une charrue ou une charrette.

Pourtant, la jeune fille les connaissait mieux que personne. Même Dunlin, dont l'œil vairon trahissait un tempérament imprévisible, dévalait tranquillement les pentes, comme un poney apprivoisé, quand Nora la sifflait.

Le troupeau auquel appartenait Dunlin lui était plus familier que les autres car son territoire s'étendait des montagnes du Connemara jusqu'à la plage d'Errislannan, sous la maison familiale de Nora. Une bonne vingtaine de juments étaient menées par un étalon qu'elle avait baptisé Fiach, qui signifiait « corbeau », à cause de sa couleur.

Par prudence, elle ne s'en était jamais approchée, car il semblait prêt à défendre sa bande à coups de dents et de sabots.

Nora avait passé plusieurs mois à les observer avant qu'une jument ne se détachât un jour du troupeau, la robe couleur de fougère et un œil bleu terni, pour venir goûter l'algue que Nora lui offrait. C'était Dunlin, qu'elle surnomma ainsi parce qu'elle lui rappelait les petits oiseaux échassiers qui picoraient délicatement sur la plage à marée basse.

La jeune fille fut surprise de constater que son frère la regardait avec bienveillance.

— Le voyage sera désormais facile, lui dit-il en souriant. Je suis sûr que Sean, Mor et Ann pourront se passer de toi si tu prends un autre chemin.

— Oh merci, Colm !

Nora se retourna vers Sean et Mor qui marchaient d'un pas lourd derrière la charrette, leur cape les enveloppant jusqu'aux oreilles, les yeux mi-clos contre le vent.

— On se retrouve à la maison, lança-t-elle.

Ils hochèrent la tête, trop las pour réagir davantage.

Nora quitta la route et, mue par une énergie nouvelle, sauta de touffe en touffe pour éviter de marcher dans la boue, le vent balayant ses cheveux et lui piquant les yeux. Elle atteignit bientôt les dures pentes de granite où elle s'arrêta, tentant en vain de maîtriser sa folle chevelure puis, portant ses doigts à sa bouche, elle siffla le plus fort possible.

Le vent lui offrit un instant de répit lors duquel elle perçut un hennissement venant du haut de la montagne. Elle leva la tête et vit une silhouette familière, de couleur fauve, se frayer délicatement un chemin le long de la pente en créant de légers éboulis à chaque pas.

Le reste du troupeau était visible en amont, juste sous la crête, toutes les oreilles pointées en avant à observer la jument. Une silhouette plus petite et haute sur jambes s'avança en hésitant, et Nora reconnut le poulain de Dunlin.

Il était trop éloigné pour permettre à la jeune fille de voir s'il marchait maintenant sans difficulté mais, en s'approchant à dos de la jument, elle pourrait vérifier si les feuilles de chardon avaient eu l'effet souhaité.

Dunlin freina en dérapant au bas de la pente, les flancs battants et les naseaux frémissants. Nora attendit qu'elle se fût approchée tout à fait avant de tendre la main pour lui caresser l'encolure humide, recouverte d'une épaisse fourrure.

Une bourrasque de vent frais fit s'écarter Dunlin, les oreilles rabattues. D'un mouvement leste, la jeune fille en profita pour lui saisir la crinière et se percha d'un bond sur son dos.

Nul besoin de licou ni de tapis de selle, ni de lui dire où aller. Il était bien plus excitant de s'en remettre à l'instinct des poneys sauvages tandis qu'ils filaient dans les montagnes, à la recherche d'une herbe plus douce ou d'abris sûrs contre le vent.

Nora serra doucement ses genoux contre les flancs de la jument, tant pour se tenir que pour lui faire comprendre qu'elle était prête à partir, et enfonça ses mains dans l'abondante crinière. Dunlin s'ébroua, fit volte-face et se précipita à contre-pente vers les sommets, le dos voûté sous le poids de sa cavalière.

La jeune fille se tenait immobile, penchée bas sur l'encolure pour assurer leur équilibre. Par ses yeux larmoyants sous le vent, elle percevait le paysage qui défilait en contrebas, une vaste tourbière entrecoupée de lacs argentés et cernée de montagnes grises.

Au loin, la piste qui menait d'Aughnanure à Errislannan, et plus loin jusqu'à Galway, était tout juste visible grâce à sa bordure de pierres, mais la charrette tirée par Ballach était maintenant hors de vue.

Dunlin ralentit en rejoignant son troupeau. Tête dressée, les poneys fixaient Nora de leurs grands yeux interrogateurs. Elle sourit, veillant à ne pas trop bouger pour ne pas les effrayer, puis se tourna lentement vers le poulain qui s'approchait d'un pas délicat sur la rocaille.

Il boitait encore, mais en hochant moins la tête, ce qui signifiait qu'il pouvait supporter davantage de poids sur sa jambe blessée. L'enflure avait disparu, et les yeux du poulain étaient clairs et brillants, ce qui laissait supposer que le sang n'était pas infecté.

Une fière tête d'un gris sombre surgit audessus de la mêlée et un hennissement majestueux retentit à travers les monts. Nora sourit. L'étalon trotta autour de son troupeau et vint se planter à quelques pas de Dunlin.

Il l'observa longuement, sa crinière s'agitant de temps à autre au gré du vent puis, roulant la tête vers le ciel, il fit demi-tour et, d'un trot rapide, mena ses juments par-dessus la crête vers des pentes plus douces. De là, le troupeau se mit à dévaler la montagne à grande vitesse, Nora galopant au milieu, cheveux au vent, quasiment couchée sur l'encolure de Dunlin.

La vingtaine de chevaux sauvages traversa en trombe une première vallée. Un fermier occupé à récolter de la tourbe se redressa, surpris de les voir passer si près.

Quand il aperçut la jeune fille qui le saluait en agitant la main au cœur de la vague déferlante, il recula sa casquette pour se gratter la tête, et elle éclata de rire tant il avait l'air consterné.

Qu'il l'ait reconnue ou non importait peu à Nora. Toute la région savait que la plus jeune des Donovan passait le meilleur de son temps à jouer avec les poneys des montagnes au lieu de battre le beurre ou d'essorer le linge.

Elle aurait aimé qu'on la critique moins, pourtant, car, en vérité, elle assurait toujours sa part des corvées domestiques. Et puis elle partait du principe qu'il y avait suffisamment de bras à la maison pour lui permettre de se divertir quelques heures dans la journée.

Chapitre 5

Nora se prétendait en tout cas moins oisive et désagréable que la jeune sœur de Ken Foyle. Combien de fois sa sœur Meg avait-elle décrété qu'on ne pouvait laisser Clara baratter le lait, de peur que sa mine renfrognée ne le fasse tourner !

D'aucuns disaient même qu'il s'agissait d'une fée qui se serait substituée à un bébé, mais Nora, pourtant crédule, ne pouvait imaginer qu'une fée pût être si laide.

Le troupeau avançait maintenant au pas, et s'arrêtait même pour brouter quelques touffes d'herbe. À peu de distance, un homme s'avançait sur la route, vêtu comme un de ces ouvriers agricoles itinérants qui proposaient leurs services de ferme en ferme.

Mais Nora reconnut à sa démarche le père Francis, un prêtre contraint, comme tous ceux de son ordre, de se cacher des Anglais.

— Père Francis ! appela-t-elle. On ne s'attendait pas à te revoir si tôt !

L'homme sourit et la salua de la main tandis qu'elle s'approchait sur Dunlin, qu'elle arrêta à quelques pas du prêtre. La jument, tête haute, les naseaux frémissants, s'agita en piétinant sur place.

— Tout va bien, ma douce, lui souffla sa cavalière en se laissant glisser à terre. C'est un ami !

— Ah, Nora ! s'exclama le prêtre. Je ne serais guère étonné de te voir pousser des sabots et de t'entendre hennir, un de ces jours !

— La jeune fille gloussa et lui emboîta le pas. Elle ne se vexait pas quand le prêtre la taquinait, car il lui avait avoué qu'il préférait parfois la compagnie des bêtes du bon Dieu, lui aussi, à celle des humains.

Comme pour faire écho à ses pensées, un cri rauque retentit au-dessus de leur tête et une corneille vint se poser sur l'épaule du prêtre, en battant des ailes pour trouver son équilibre.

— Alexa ! D'où viens-tu comme ça, vieille canaille ? s'exclama le religieux.

Nora tendit doucement le bras et caressa les plumes noires et lisses.

— Je ne l'ai pas vue depuis l'aube, reprit Francis. Le temps va sûrement se gâter, car notre amie part plus longtemps quand le vent se lève. D'ailleurs, tu devrais rentrer avant la pluie, mon enfant. Prends la jument si elle veut bien. Nous vous suivrons de peu.

Nora fronça les sourcils.

— Ce ne sera pas la première tempête de l'automne... Mais dis, tu n'es tout de même pas revenu nous parler du mauvais temps ?

En effet, le prêtre était passé juste avant le voyage de Nora et de ses frères et sœurs au château d'Aughnanure, et il était rare qu'il vienne célébrer la messe plus de deux fois par mois dans les grottes sous la chaumière des Donovan. Il secoua la tête.

— Tu as raison, Nora. Je ne suis pas venu pour parler du temps. J'ai croisé des hommes qui descendaient du Nord. Ils disent avoir aperçu la flotte espagnole naviguant près de la côte, à moins d'une journée d'ici. Aussi, je crains que la tempête qui se prépare ne rejette plus de débris que d'ordinaire sur la grève d'Errislannan.

Nora sentit son estomac se nouer.

— Tu crois que les navires vont jeter l'ancre ici ?

Le regard du prêtre s'assombrit.

— Qu'ils le veuillent ou non, mon enfant, le vent va les projeter de force sur nos rivages.

Le jour baissait lorsque le troupeau de Fiach atteignit la forêt de chênes qui s'étendait des montagnes du Connemara à Errislannan. Pour une fois, Nora talonna Dunlin pour la faire galoper plus vite, car elle imaginait des hordes de marins espagnols déferler sur la plage au pied de sa maison.

Comme le troupeau s'approchait de l'orée, les branches des arbres s'agitaient violemment, signe que l'orage approchait. Dans la baie, sous la force du vent, les vagues s'écrasaient contre les falaises dans un grondement précurseur du tonnerre céleste.

— Tout va bien, Fiach, lança Nora à l'étalon qui piétinait nerveusement sur place. Mais ce n'est pas un temps à se balader sur la plage.

Puis, tordant ses cheveux trempés à hauteur de la nuque, elle se tourna vers Dunlin et son poulain.

— Restez là aussi, vous deux. Vous serez plus à l'abri dans la forêt. Je vous retrouverai demain, c'est promis.

Elle se mit à courir le long de la falaise vers la chaumière familiale, un point de lumière brillant sous le ciel de plomb. Le vent sifflait à ses oreilles, une pluie fine mêlée d'embruns salés lui fouettait le visage et la mer rugissait à sa droite. Manannan MacLir, le dieu de la Mer, allait faire bonne chasse cette nuit.

Une voix s'éleva tout à coup par-dessus le vacarme :

— Nora Donovan, c'est toi ?

Nora reconnut au loin la silhouette de sa sœur Meg et courut la rejoindre en bas de la colline, se rendant compte tout à coup à quel point elle était fatiguée.

— Mais de quoi as-tu l'air ! Te voilà trempée jusqu'aux os.

Sa sœur l'entraîna jusqu'à la maison où leur frère Colm tentait de clouer les volets qui battaient violemment contre la pierre. Lorsque Meg eut refermé la porte non sans effort, étouffant brusquement le fracas du dehors, Nora eut l'impression qu'une fée lui avait jeté un sort en la rendant sourde.

Elle prit le temps de recouvrer son souffle, se laissant doucement bercer par le silence de la maison, seulement interrompu de temps à autre par les crépitements du feu dans la cheminée.

Près de l'âtre, Ballach et la petite vache noire de la famille somnolaient sans bruit.

Une marmite était suspendue au-dessus des flammes, et la femme qui s'en occupait, brune comme Nora, se retourna et la toisa d'un regard sombre.

— À quoi pensais-tu, pauvre sotte, à rester dehors si tard par un temps pareil ?

— Ma, je...

— Assez ! s'écria Maria Donovan en brandissant une louche de bois. Les hommes ont dû s'occuper des animaux tout seuls, alors tes excuses, tu peux les garder pour toi !

Dans son emportement, elle claqua la croupe de la jument qui dressa brusquement la tête.

— Ce n'est pas une raison pour t'en prendre à Ballach, rétorqua Nora.

Elle traversa la pièce pour réconforter le poney et lui caresser le chanfrein.

— Et puis évite de marcher sur les joncs, reprit sa mère. Meg vient tout juste de les étaler. Je me demande, d'ailleurs, comment nous pourrons dormir avec cette tempête à vous rendre fous !

Nora était tentée de lui répondre qu'il y avait beaucoup plus de bruit dehors, mais elle jugea plus sage de continuer à rassurer la jument qui, sous ses attentions, refermait tranquillement ses paupières.

— Puisque te voilà enfin, rends-toi utile en apportant du beurre. Nous mangerons dès que ton père rentrera.

Nora se rappela, inquiète, les paroles du père Francis.

— Il n'est pas allé loin, dis ?

Sa mère secoua la tête.

— Il est à côté, chez Donal Foyle. Apparemment, cette écervelée de Clara a laissé échapper leur jument en essayant de la faire rentrer.

Nora échangea un regard avec Meg, qui leva les yeux au ciel en secouant la tête.

Lorsqu'elle revint avec la motte de beurre pour la faire ramollir non loin du feu, sa mère lui posa une main sur l'épaule.

— J'étais inquiète pour toi, ma fille, lui dit-elle doucement, sans doute pour se faire pardonner le coup de colère de tout à l'heure.

Nora se demanda si sa mère était au courant du passage de la flotte espagnole près des côtes. Elle vit les navires chargés de soldats au regard sauvage, impatients d'envahir la terre irlandaise.

Puis elle se rappela qu'il n'y avait aucune discorde entre les deux peuples, dont l'ennemi commun était en fait l'Anglais. Mais l'idée que des étrangers, surtout des naufragés au comble du désespoir, puissent s'approcher de leur chaumière n'avait rien de rassurant.

La porte s'ouvrit avec fracas derrière elle et un homme fit irruption dans la salle, dégoulinant de pluie.

— Par tous les saints, Nora, quelle mouche t'a piquée !

— Pa ! s'exclama la jeune fille en laissant tomber le tisonnier avec lequel elle ranimait les flammes.

— Est-ce que vous avez pu rattraper la jument ? demanda Meg, hors de propos, volant au secours de sa sœur.

Tom Donovan s'efforçait non sans mal de retirer sa veste trempée.

— Oui, Dieu merci. Il s'en est fallu de peu que cette idiote tombe de la falaise, mais heureusement, le père Francis nous a prêté main forte.

— Le père Francis ? s'étonna Meg en aidant son père à s'extraire de sa veste. Je croyais qu'il était reparti en tournée.

— En effet, acquiesça Tom Donovan, mais il a des nouvelles suffisamment graves pour lui faire rebrousser chemin.

Colm entra à ce moment-là, dans une bourrasque d'air froid et humide.

— Est-ce que Pa vous a dit ce que le père Francis nous a raconté ?

— Il allait justement nous en parler, répondit Ann.

Elle venait de disposer le cresson autour de la motte de beurre et dressait la table avec les bols de soupe que Nora lui apportait.

D'habitude, au retour de la fête au château, la famille Donovan se couchait tard, pour pouvoir écouter ceux qui avaient été du voyage raconter les événements de la soirée, qui avait dansé avec qui, la saveur des mets et des rôtis et les derniers ragots de la région.

Or, ce soir, les hommes parlaient de la flotte espagnole, affirmant qu'aucun capitaine n'oserait accoster dans de telles intempéries.

Nora, épuisée, sa soupe avalée, se coucha à même le sol sous l'une des couvertures que Meg avait étendues.

Elle roula sa cape sous sa tête pour ne pas se piquer l'oreille contre les joncs ou, pire, se la faire grignoter par une souris. Ses sœurs, par espièglerie, l'avaient mise en garde contre les rongeurs quand elle était encore enfant, et l'adolescente, moins crédule, préférait toutefois éviter les mauvaises surprises.

Bercée par les voix basses des hommes, elle était sur le point de s'endormir quand quelqu'un martela violemment la porte. En un éclair, son père et Colm saisirent les épais bâtons accrochés au mur.

— Qui est là ? s'écria Tom Donovan.

— Donal. Ouvre, voisin, pour l'amour de Dieu !

On fit glisser la barre et le vent s'engouffra de nouveau à l'intérieur, balayant les joncs contre le mur opposé à la porte.

Donal Foyle entra, ses longs cheveux plaqués contre son visage osseux. Il tenait à la main un gourdin en bois.

— Descendez vite sur la grève ! Un navire s'est écrasé sur les récifs.

Chapitre 6

Dehors, ce n'était que vent hurlant et fracas des vagues sur la grève. La marée était si haute au pied de la falaise qu'il restait à peine la place, sur la plage, pour se tenir debout. Nora, campée au sommet de l'escarpement, enfonçait ses doigts dans les plis de sa cape pour l'empêcher de s'envoler.

Elle se pencha, cherchant à voir dans la faible lumière si des formes humaines émergeaient de l'écume. Mais les vagues n'apportaient que des débris de bois et de voiles en lambeaux, et parfois des tonneaux, miraculeusement entiers en dépit des récifs auxquels ils s'étaient sûrement heurtés à l'entrée de la baie.

Nora tressaillit. Des bateaux avaient déjà été détruits par ici, mais il s'était agi de barques de pêche ou de dragues, comme celle dont ses frères se servaient pour recueillir les huîtres près des côtes. Seules quelques planches éparses avaient témoigné du naufrage.

En revanche, cette fois, sous la pâle lueur de l'aube, ces innombrables morceaux de mâts éclatés, de toile et de cordes, piètres résidus d'un puissant navire de guerre, offraient un spectacle horrifiant.

Le dieu de la Mer s'était déchaîné cette nuit, et aucun marin n'aurait pu échapper à sa colère.

Donal Foyle avait atteint le haut du sentier qui descendait à la plage. Débarrassé de sa cape, sa chemise et ses cheveux flottaient au vent, et il ressemblait, contre le ciel obscur, à un épouvantail fou et gesticulant.

— Venez ! cria-t-il à Tom et Colm Donovan, qui le suivaient en courbant le dos contre le vent.

Ann et sa mère rejoignirent la jeune fille, leur cape autour de la tête.

— Tu vois quelque chose ? cria Ann.

— Des bouts de bois et des tonneaux, c'est tout.

La mère se signa rapidement, les yeux écarquillés à la vue des morceaux d'épave.

— Que Dieu sauve les âmes de ces malheureux, gémit-elle.

Nora observa les hommes qui descendaient le long de la falaise, son frère Colm trébuchant au bord du chemin sous la force du vent.

— Pourquoi Donal Foyle tient-il tant à descendre ? demanda-t-elle, consternée. Craindrait-il que les soldats espagnols nous attaquent ?

Maria Donovan secoua la tête et, se risquant à relâcher un pan de sa cape, posa une main sur l'épaule de sa fille.

— Non, ma chérie, nous n'avons aucune querelle avec l'Espagne. Le sort de ces hommes dépend uniquement, cette nuit, du dieu de la Mer. Mais les vagues pourraient apporter quelque chose d'utile, ne serait-ce que du bois pour nous chauffer.

Ann se pencha en avant pour se faire entendre par-dessus le vent et les vagues.

— Imagine ce que ces navires peuvent transporter ! Des vivres et du vin pour nourrir des centaines d'hommes pendant des semaines ou même des mois.

— Et si la mer amenait des survivants ? insista Nora.

— Alors ce n'est pas nous qu'ils auraient à craindre, mais les Anglais. Quant à Donal Foyle, va savoir ce qui l'anime. Cette tempête l'a rendu d'humeur belliqueuse, c'est clair.

Une vague géante explosa sur les hommes, envoyant Tom Donovan rouler sur le sable. Colm le rattrapa par la veste au moment où le ressac commençait à l'entraîner sous les brisants.

Leur mère marmonna une courte prière.

— Ann, rentre à la maison et aide Meg à nourrir le feu, ordonna-t-elle. Si les hommes ont la moindre parcelle de bon sens, ils reviendront attendre qu'il fasse jour.

Nora resta avec sa mère à observer avec désarroi la progression des siens le long de la plage.

— Ils essaient sûrement d'atteindre ces barriques liées ensemble là-bas, coincées entre ces rochers. Tu les vois, Ma ?

— C'est qu'ils sont encore plus fous que je croyais, répliqua Maria en secouant la tête. Si les vagues délogent les tonneaux sur la pierre glissante... Reste ici, Nora. Je m'en vais les chercher.

La mère emprunta à son tour le sentier, le vent faisant fouetter les pans de sa cape. Elle appela son mari et son fils, leur enjoignant de rebrousser chemin, mais en vain. La tempête devait recouvrir ses paroles, car les hommes continuèrent d'avancer vers le butin.

Restée seule, Nora longea le sommet de la falaise en s'éloignant de la maison. Elle cherchait à atteindre un creux dans le relief, d'où elle espérait se faire entendre par ceux d'en bas.

Après cette dépression, la falaise s'élevait à nouveau vers un monticule surplombant l'océan à pic. De là, un long ruban de sable blanc s'étendait jusqu'à la pointe de la péninsule, au-delà de laquelle se trouvait un hameau où vivaient Sean et Rua, ainsi que Mor, dans sa maison familiale.

De ce côté-ci du promontoire, la plage était bordée d'une falaise basse, creusée de grottes. La première, grande comme la salle des banquets du château de Murray O'Flaherty, servait au père Francis à célébrer la messe, hors du regard de l'occupant anglais.

La seconde, une caverne plus petite, n'était accessible qu'à marée basse. Le banc de sable qui y menait s'élevait jusqu'à l'entrée puis atteignait, plus plane, les parois du fond. L'intérieur de cet abri naturel était toujours sec, si bien qu'en hiver ses frères et Mor y rangeaient les filets de pêche.

Du haut du monticule, Nora ne pouvait même pas distinguer le trou béant de la grande caverne, la tempête soulevant un brouillard d'embruns mêlés de sable.

Soudain, un reflet blanc argenté au bord de l'eau attira son regard, et elle se figea d'un coup, n'en croyant pas ses yeux. Un cheval se débattait dans la mer ! Une vague fonça vers la grève et la créature fut projetée en avant, hors du brisant, ses jambes puissantes défiant les courants et sa noble tête dressée au-dessus de l'écume où se confondait sa longue crinière blanche.

Nora sentait son cœur battre la chamade. C'était sans doute le cheval du dieu de la Mer, envoyé par son maître constater l'ampleur des dégâts !

Elle ferma un instant les yeux, se demandant si les hommes avaient aperçu, eux aussi, la superbe créature. Mais non, ils étaient trop occupés à s'approcher des barriques sur les rochers ruisselants sans se laisser happer par les vagues.

Donal Foyle les avait presque atteintes et, son couteau dégainé, s'apprêtait à couper les cordes qui les tenaient ensemble.

La jeune fille en conclut qu'il serait vain de tenter de les faire rentrer. Il était évident que

Donal Foyle voulait ces tonneaux à tout prix, et Colm et son père paraissaient prêts à l'aider pour s'assurer une part du butin.

Aussi continua-t-elle à longer la falaise jusqu'à ce qu'elle ne soit plus qu'à hauteur d'homme de la plage.

Elle chercha dans les vagues la silhouette argentée du cheval de mer. Il n'y avait plus rien, plus de sabots frappant la grève, plus de crinière blanche mêlée à l'écume.

Mais elle aperçut autre chose.

Un visage pâle apparut le temps d'une seconde au-delà des crêtes des vagues pour disparaître aussitôt sous la masse d'eau grise et mouvante. Nora eut à peine le temps de se ressaisir lorsqu'une vague nouvelle roula sur la grève, en portant un homme qui se débattait désespérément avant d'être plongé dans le ressac.

La jeune fille se demanda un instant si ce n'était pas là le dieu de la Mer lui-même chevauchant son destrier encore invisible sous la surface, ses naseaux respirant l'eau avec autant d'aisance que l'air.

Or, la vague suivante rapprocha davantage la silhouette et Nora constata qu'il ne s'agissait pas d'un dieu mais d'un jeune garçon à demi noyé, agitant bras et jambes, les yeux exorbités de terreur.

Nora marmonna une prière, non pas dans la langue du père Francis mais dans un dialecte vieux comme les montagnes, suppliant les esprits de la mer d'accueillir l'âme du malheureux garçon et de mettre fin à sa misère.

Les habitants de la région prétendaient que le dieu de l'Océan ne tolérait pas qu'un mortel se permette de sauver ses victimes. Il se vengeait, disait-on, en réclamant l'âme du sauveteur ou, sinon, celle d'un membre de sa famille.

La jeune fille regarda les trois hommes au pied de la falaise. Donal Foyle était occupé à détacher les tonneaux, tandis que les Donovan se positionnaient de manière à se les passer de main en main jusqu'à la plage.

Il était certain que nul d'entre eux n'avait vu le garçon se débattre dans les vagues.

Celui-ci réapparut dans la tourmente.

Il regardait Nora, les mains tendues vers elle, le visage implorant. Il appela, sa voix déformée par le vent, aiguë comme le cri d'une mouette.

Nora l'entendit pourtant. Il la suppliait en espagnol de l'aider au nom de Dieu et de ses saints. Elle tordit les bords de sa cape en pleurant à chaudes larmes. Comment pourrait-il comprendre que si le dieu des Océans voulait son âme, elle ne pouvait pas intervenir sans risquer sa propre vie ?

Nora s'approcha, sans bien s'en rendre compte, du bord de la falaise et, oubliant l'interdiction de sa mère, entreprit de descendre vers la grève. Elle était à mi-chemin lorsqu'elle vit le jeune homme projeté au pied de la falaise sous la force d'une nouvelle lame.

Il s'accrocha des deux mains à un rocher pour ne pas être aspiré par le ressac.

— Aidez-moi ! cria-t-il.

Nora le regarda, interloquée. Il venait de s'exprimer en irlandais, de manière intelligible malgré son fort accent. Il lui parla de nouveau, les yeux dilatés de terreur. La jeune fille sut à ce moment-là qu'elle ne pourrait pas le laisser mourir, même si le dieu des Flots devait les emporter tous les deux.

— Tiens bon ! lança-t-elle, en espérant se faire entendre par-dessus le fracas des vagues.

Elle se tourna pour chercher un morceau de bois assez long pour atteindre le garçon.

Les hommes étaient toujours occupés là-bas sur les rochers, et elle craignit soudain qu'ils ne l'aperçoivent, qu'ils ne lui reprochent alors de contrevenir aux désirs du dieu marin. Pis encore, elle craignit la nature violente de Donal Foyle.

Armé de son long couteau, ne risquait-il pas d'achever cet Espagnol à demi noyé ? Par esprit de vengeance, et aussi pour se faire valoir auprès de l'occupant anglais ?

Si elle voulait porter secours au jeune homme, il fallait agir vite.

Elle dégagea d'un amas de rocailles une branche blanchie par le sel et s'approcha le plus possible du naufragé. Elle lui tendit la perche de fortune, mais il était trop éloigné. Elle rassembla alors ses jupes d'une main, grimpa sur un rocher et sauta de l'autre côté dans l'eau glacée.

Le sable se retira brusquement sous ses pieds par l'effet du ressac et elle manqua de tomber à la renverse.

Pour éviter d'être happée par les lames suivantes, Nora se réfugia sur un second rocher, à moins de deux mètres du naufragé. Elle se pencha en tendant la branche dont l'extrémité toucha la chemise du jeune homme.

— Attrape le bout ! s'écria-t-elle en espérant que malgré le vent les siens ne l'entendraient pas.

Le garçon ne réagit pas. Il restait étendu sur la grève, la tête enfouie entre ses bras.

Tout son corps ruisselait d'eau, teintée de sang à partir de la cuisse où apparaissait une blessure béante.

Nora fut saisie de désespoir. Était-il mort ? Le dieu de la Mer avait-il pris possession de son âme malgré tout ?

— Ohé ! Remue-toi ! lança-t-elle en le piquant avec la branche.

À son grand soulagement, le garçon tressaillit et leva la tête. Elle le poussa de nouveau et, lentement, il lâcha le rocher et saisit le bout de bois.

Nora cala ses pieds et commença à tirer sur le long bâton alourdi maintenant par le poids du blessé. Penchée en arrière, poussant des jambes contre la roche, elle avançait une main après l'autre pour ramener la branche, refusant de céder à la peur de glisser et de tout lâcher.

— Il faut m'aider, lui cria-t-elle au bout d'un moment. Je ne peux pas te sortir de là toute seule !

L'Espagnol, la comprenant ou non, commença à se pousser en avant en enfonçant ses pieds dans le sable. Il gémit de douleur en redressant sa jambe, mais serra les dents et recommença.

Une vague s'abattit de nouveau sur lui, le faisant rouler sur la grève, et Nora eut du mal à garder sa prise sur la branche qui se tordait dans ses mains.

— Laisse-le vivre, Manannan MacLir ! s'écria-t-elle exaspérée, petit brin de fille défiant la houle du haut de son rocher.

La mer se gonflait à l'entrée de la baie, comme si le dieu qu'elle venait d'implorer s'apprêtait à déchaîner ses hordes marines pour un dernier assaut.

Pourtant, à ce stade, Nora n'était pas prête à baisser les bras.

Elle tira de plus belle sur la perche improvisée, aidée cette fois par le blessé qui réussit à ramper en avant jusqu'au rocher auquel il s'agrippa, aux pieds de la jeune fille.

— *Gracias*... murmura-t-il entre ses lèvres boursouflées. Merci !

Nora jeta la branche et saisit le garçon par le bras.

— Viens ! souffla-t-elle. Il ne faut pas rester ici.

La tête du jeune marin roula de côté, les yeux fermés. Il s'était évanoui. Il était à présent hors de portée des vagues les plus puissantes, mais elle ne pouvait pas l'abandonner là, comme un poisson mort. Elle tenta de le traîner sur le sable, mais il était trop lourd. Son visage était livide et seul le léger mouvement de sa poitrine laissait espérer qu'il respirait encore.

Nora s'arrêta et l'observa, désemparée.

C'est alors qu'un cri retentit tout à coup derrière elle.

— Qu'est-ce que tu as trouvé là, Nora ?

Chapitre 7

Nora fit volte-face. Son frère Colm s'approchait en sautant d'un rocher à l'autre, ses cheveux plaqués sur ses épaules et sa chemise trempée collée contre sa poitrine.

— Rien ! s'écria-t-elle, affolée. Il n'y a rien d'intéressant par ici.

Elle souleva ses jupes et sauta du rocher sur le sable.

— Où est Donal ? Avez-vous pu récupérer les tonneaux ?

Elle ne pensa pas un instant que Colm songerait à faire du mal à l'Espagnol. Elle craignait surtout la cupidité de Donal Foyle, capable de voler même les vêtements d'un moribond.

Son frère s'arrêta, le pied posé sur un rocher. Il lui aurait suffi de monter dessus pour apercevoir le marin. Aussi Nora se percha-t-elle dessus pour occuper la place.

— Ils seront bientôt à l'abri, répondit-il. Les autres s'occupent de les monter. Alors tu n'as rien trouvé d'intéressant ?

— Absolument rien. Pas même du bois convenable pour le feu.

Nora, voyant la curiosité de Colm assouvie, lui tendit la main pour qu'il l'aide à descendre du rocher.

Sur le chemin de la maison, elle s'efforça de ne pas se retourner. Elle avait sauvé le marin des griffes de Manannan MacLir, et quelle que fût sa destinée, elle ne pouvait plus rien pour lui.

— Nora ! s'exclama sa mère. Te voilà enfin réveillée, ma chérie. Dieu merci, on dirait que tu n'es même pas enrhumée. Ce matin, tu avais tout l'air d'un rat noyé ! Sache que tu n'as pas besoin de te lever si tu n'en as pas envie.

Nora fut stupéfaite. D'habitude, Maria Donovan aimait que chacun se rende utile dans la maison, ce pourquoi elle reprochait souvent à sa benjamine ses escapades dans la montagne en compagnie des poneys sauvages.

Dehors, la tempête s'était calmée, quoique le vent continuât de battre contre les murs et de s'engouffrer dans la cheminée en soufflant dans la chambre des bouffées de fumée.

Nora songeait au troupeau de poneys, en espérant qu'il aurait regagné la montagne sain et sauf. Fiach n'aurait pas laissé ses juments errer longtemps dans la forêt, de peur des loups. Si tout allait bien, ils descendraient à la plage au crépuscule, faute de quoi elle irait à leur recherche pour en avoir le cœur net.

Elle était assise à boire du lait chaud, une couverture autour de ses épaules, quand son père entra, le visage rougi par le vent et l'air réjoui.

— Sept tonneaux de vin et trois de sel, déclara Tom Donovan, devançant la question de Nora. Finalement, la tempête a été profitable.

Colm entra à son tour et posa un sac de tourbe à ses pieds.

— On ne peut pas en dire autant pour les Espagnols.

Son père haussa les épaules d'un air de dire qu'il avait du mal à plaindre ceux qui étaient assez fous pour naviguer en cette saison. Nora voyait pourtant que son frère était autrement soucieux.

— Qu'est-ce que tu veux dire, Colm ? lui demanda-t-elle en se débarrassant de sa couverture pour se lever.

— Un détachement de soldats anglais est passé pendant que je ramassais la tourbe en compagnie de Donal Foyle.

Maria Donovan lâcha la couverture qu'elle était en train de plier.

— Des soldats, ici ? s'exclama-t-elle, alarmée.

— Oui. Heureusement, ils ne sont pas restés longtemps. Apparemment, des vaisseaux ont été détruits tout le long de la côte, et ça risque fort de se reproduire la nuit prochaine si le vent persiste.

Meg tendit à son frère un bol de bouillon fumant.

— Assieds-toi et raconte-nous.

Colm la remercia d'un signe de tête et s'exécuta.

— Ils étaient à la recherche de soldats espagnols. Vous vous souvenez de cette troupe que nous avons croisée en revenant d'Aughnanure ?

Ann et Nora acquiescèrent.

— Eh bien, c'étaient les mêmes hommes, sous le commandement du capitaine blond. Il parle suffisamment l'irlandais pour avoir demandé à Donal si nous étions descendus sur la plage depuis la tempête.

— J'espère que vous n'avez rien dit à propos des tonneaux ! dit Tom Donovan. Ils sont en lieu sûr derrière le tas de fumier chez Donal. Je ne tiens pas à voir ces cochons d'Anglais en profiter après tous nos efforts pour les récupérer !

Colm, impatient, secoua la tête.

— Bien sûr que non, Pa. Ils n'avaient pas l'air de se soucier de la cargaison des navires. Ce sont les hommes qui les intéressent.

— Il n'y a sûrement pas eu de survivants cette nuit ? avança Meg.

— À en croire l'officier, ils n'en avaient pas encore trouvé.

Nora se mordit les lèvres. Si cela était vrai, le jeune marin espagnol serait-il décédé sur les rochers ? Aurait-elle défié le dieu de la Mer pour rien ?

— Mieux vaut pour ces marins qu'ils périssent en mer, conclut Colm. Les Anglais craignent tellement que les Espagnols soient venus soulever une armée contre leur reine qu'ils n'en épargneraient pas un seul. Succomber à l'ire de

Manannan MacLir serait une mort plus douce que se faire trancher la gorge par un chien d'Anglais.

Nora dévisagea son frère avec désarroi.

— Nous devrions pourtant venir en aide aux marins, n'est-ce pas ? balbutia-t-elle. Les Anglais sont autant nos ennemis que les leurs !

Son père secoua la tête.

— Il ne faut pas nous en mêler, Nora. Les Anglais nous tueraient s'ils nous surprenaient. Ces Espagnols ont pris sur eux de naviguer dans nos eaux, et je ne mettrais certainement pas ma famille en danger pour leur porter assistance... Cela dit, j'en connais qui n'hésiteraient pas à livrer les survivants contre une bourse de couronnes anglaises !

Ce disant, il dirigeait son regard vers le cottage du voisin, Donal Foyle.

— Ça suffit ! s'exclama la mère de Nora, s'en prenant au tas de tourbe brûlante avec un tisonnier. Je ne veux plus entendre parler de soldats ni de marins espagnols. Encore heureux que les Anglais n'aient pas trouvé ces tonneaux. Nous devons prier pour qu'il n'y ait plus de naufrage sur nos rives, et rendre grâce au ciel de ne pas avoir à nous soucier d'éventuels rescapés.

— Grâce au ciel... ou à Manannan, murmura Ann.

Nora se tourna vers Meg pour voir sa réaction, mais celle-ci observait le contenu de son seau en fronçant les sourcils.

— Ces huîtres sont immangeables, soupira-t-elle en secouant lentement la tête. Elles sont ouvertes, il faut les jeter.

Maria Donovan s'approcha d'elle pour observer à son tour le contenu du seau.

— Tu as raison, Meg, elles ne sont bonnes ni pour les hommes ni pour les bêtes. Nora, veux-tu bien descendre à la plage et nous rapporter des moules ? On n'a guère assez de viande à ajouter au bouillon et vous aurez faim après l'agitation de cette nuit.

Nora s'enveloppa de sa cape, prit le seau d'huîtres des mains de Meg et sortit, non sans appréhension. Qu'arriverait-il si elle rencontrait le jeune Espagnol ? À en croire son père, elle ne l'aurait sauvé que pour accroître son malheur.

Elle jeta les huîtres sur le tas de fumier, passa devant la maison des Foyle et emprunta le chemin qui descendait vers la plage. Le vent sifflait encore le long des parois de la falaise, mais la tempête paraissait moins violente à la lumière du jour, quoique le crépuscule s'annonçât déjà.

La plage était plus large à marée basse. Aussi pouvait-elle la longer hors de portée des vagues. Le sable était parsemé de bouts de bois, de morceaux de toile ou de métal. Elle passa même près de tonneaux semblables à ceux que les hommes avaient récupérés, mais ceux-ci étaient éclatés et vidés de leur contenu.

Elle atteignit l'extrémité de la grève, où les moules s'agrippaient en grappes à la roche. Elle s'enveloppa les doigts avec les pans de sa cape pour éviter de les écorcher sur les coquilles noires et tranchantes comme des lames de rasoir, et entreprit de remplir le seau jusqu'à ras bord.

Lorsqu'elle eut fini, elle sauta sur un rocher. La mer s'était retirée encore davantage, révélant une multitude de pierres et d'algues mêlées encore à des morceaux d'épave.

À son grand soulagement, il n'y avait aucune trace du jeune marin. Il avait sans doute récupéré suffisamment d'énergie pour grimper au sommet de la falaise. Peut-être avait-il même réussi à se réfugier dans la forêt.

Il y avait cependant autre chose, là-bas. Une forme grise, étendue au bord de l'eau.

Nora se laissa glisser sur le sable où elle coinça son seau, puis s'avança prudemment sur la plage. Son cœur commença à battre plus fort lorsqu'elle distingua la courbe d'un flanc lisse couleur d'écume et une longue crinière entremêlée d'algues et de sable.

L'apparition, pendant la nuit, de l'étalon de Manannan MacLir collectant les âmes des naufragés lui revint à l'esprit.

La créature leva la tête et s'ébroua ; Nora se rendit à l'évidence que ce cheval était réel, en chair et en os, et qu'il était vivant.

Chapitre 8

Le cheval s'ébroua de nouveau et posa un antérieur sur le sable afin de tenter de se lever. Instinctivement, Nora tendit une main pour le rassurer. Elle était suffisamment près de lui pour constater qu'il avait une blessure à la pointe de l'épaule, enflée et frottée à vif par une arête de rocher.

— Doucement, mon grand.

Au son de sa voix, la bête tourna la tête, les oreilles dressées. Nora l'observa, subjuguée. Ce n'était pas là un poney sauvage de la montagne, mais une créature noble, digne d'un roi, avec son large front et ses yeux de forme ovale.

Par la largeur de son dos reposant sur le sable, elle jugea qu'il serait plus grand de plusieurs mains que la jument Dunlin, plus grand même que les chevaux de guerre de Munster, que montaient les Anglais.

Le cheval se hissa sur sa jambe valide et se secoua énergiquement. Puis il se tint debout, raide et tendu, à observer Nora. Le mouvement rapide de ses flancs trahissait sa peur et son épuisement, ce qui n'avait rien de surprenant, compte tenu de ce qu'il avait dû endurer sous l'horreur de la tempête.

Instinctivement, Nora songea aux plantes qui aideraient à soulager ses maux : la barbotine pour fortifier le cœur, le chardon étoilé pour la blessure à l'épaule et la camomille pour assurer un sommeil apaisant. Et aussi de l'eau et de quoi le nourrir, car ce cheval n'avait sûrement pas bu ni mangé depuis un jour au moins.

La jeune fille remarqua à ses pieds une touffe de l'algue d'un vert vif que les poneys sauvages aimaient brouter. Elle se baissa pour en arracher une bonne poignée qu'elle tendit au cheval.

— Tiens, mange, lui dit-elle en s'approchant.

L'animal se raidit, les oreilles en alerte, ses naseaux frémissant à chaque souffle écourté. Nora, dont la tête atteignait à peine le garrot du cheval, ressentit pour la première fois un frisson d'alarme.

C'est qu'elle avait affaire à un étalon, tout comme Fiach, et si habitué fût-il aux humains avant sa mésaventure, elle devait le traiter avec la même prudence qu'elle s'imposait en présence des poneys sauvages.

Elle tenait les rubans d'algues à bout de bras, sans bouger, s'efforçant de respirer calmement. Les yeux exorbités au point d'en révéler les blancs, le cheval tendit la tête, effleura les feuilles des lèvres, puis les retira brusquement de la main de Nora.

Il les mastiqua ensuite, hochant la tête comme les poneys lorsqu'ils mangeaient quelque chose qui ne leur était pas familier.

— C'est bien, mon grand !

Cette fois, il ne réagit pas au son de sa voix mais dressa les oreilles comme s'il s'attendait à la suite du repas. Nora arracha une deuxième touffe, puis une autre, et les lui donna à manger avec une sensation de joie croissante.

Cette créature exotique, refoulée par les vagues, était certes la plus belle monture que le dieu de la Mer aurait lui-même pu chevaucher... Ou que ce filou de Dan Devlin aurait jamais rêvé vendre, se dit-elle avec ironie.

Une bourrasque de vent froid fit s'écarter le cheval et Nora constata qu'il tremblait de douleur et d'épuisement. Il avait besoin de s'abriter, mais il était trop faible pour affronter le chemin de la falaise.

Comme il baissait la tête pour brouter une dernière bouchée d'algues, elle regarda pardessus ses oreilles la caverne creusée près du promontoire à l'extrémité de la plage, où le père Francis célébrait la messe. Pour peu qu'elle puisse le persuader d'y rester, le cheval s'y trouverait à l'abri du vent, mais il serait trop facilement visible du sommet de la falaise.

En revanche, la grotte plus petite, au-delà du cap, l'abriterait tout autant et l'intérieur resterait caché même aux rares passants. Elle était accessible maintenant, à marée basse, et au flux montant, le cheval se verrait contraint de demeurer au fond, près des filets rangés au sec.

Ses pensées furent interrompues par le cheval qui, impatient, lui poussait le bras à coups de museau. La jeune fille sourit et tendit la main pour lui frotter les oreilles, comme elle le faisait avec Dunlin, mais l'étalon se recula, effarouché.

Nora, le cœur battant, se tint immobile. Le cheval s'arrêta à quelques pas et la fixa, les muscles de son encolure tendus, comme s'il était prêt à s'enfuir.

Elle se baissa alors doucement et saisit une nouvelle poignée d'algues, qu'elle lui tendit. À son grand soulagement, il fit un pas vers elle et avança de nouveau les lèvres en soufflant doucement.

La jeune fille recueillit une plus grande quantité de touffes, qu'elle porta dans un pli de sa cape. Elle passa devant lui et commença à marcher doucement vers la pointe du promontoire, se retournant de temps à autre pour lui offrir une nouvelle ration.

— Allez, viens, mon beau prince.

Il jeta la tête en arrière, faisant flotter au vent sa superbe crinière couleur d'écume, et Nora eut à nouveau la vision nocturne du superbe étalon émergeant des vagues.

— Je t'appellerai Lir.

C'était le nom du père de Manannan, la plus puissante divinité de l'Océan. Elle répéta le nom en le criant au vent, s'assurant qu'il convenait parfaitement à ce cheval venu de la mer.

L'étalon devait trouver l'algue à son goût, car il suivit Nora de bouchée en bouchée jusqu'au promontoire, s'écartant avec méfiance de l'entrée de la caverne où se célébrait d'habitude la messe.

La jeune fille en conclut que le plus dur restait à faire, c'est-à-dire persuader le cheval de la suivre jusque dans la grotte.

Même si la marée était encore basse, le vent à cet endroit poussait les vagues jusqu'au pied de la falaise. Nora et Lir ne pouvaient donc atteindre l'abri qu'en avançant dans l'eau qui montait parfois à hauteur des genoux.

Nora prit les devants et se retourna vers le cheval après quelques mètres pour l'attirer encore grâce aux algues. Il la rejoignit à pas mesurés, et elle tendit la main très doucement pour lui caresser l'encolure. Il pointa les oreilles, s'ébroua, mais resta à mâcher en l'observant de tout près.

— C'est un bon cheval, ça ! déclara-t-elle, satisfaite.

Au même instant, l'eau s'enfla autour de leurs jambes, se transformant aussitôt en une vague qui alla s'écraser en haut de la plage avec plus de force que les autres. Lir s'ébroua, inquiet, cette fois, mais resta sur place.

Nora repartit vers la grotte, puis se retourna.

— Allez, viens ! Il faut me suivre.

Le bras tendu, elle lui offrit une nouvelle ration d'algues et claqua la langue, se rendant à l'évidence qu'il ne comprenait pas un mot de ce qu'elle racontait. Il s'approcha, prit la nourriture et, lorsqu'elle repartit, la suivit en mangeant.

Nora voyait à présent l'entrée de la petite grotte, dont la forme obscure se découpait au-delà de la péninsule rocheuse. Pour la contourner, elle fit mine de s'appuyer contre l'encolure de Lir, en vérité pour le guider, en lui tenant d'une main la crinière.

Une fois les rochers dépassés, au grand soulagement de Nora, le cheval se mit à trotter et elle fut obligée de courir pour rester à ses côtés. Sorti de l'eau, il ralentit en remontant la plage et s'arrêta, les oreilles dressées, devant la grotte.

— C'est bien, mon grand, fit Nora, essoufflée. Plus que quelques pas, et tu seras à l'abri.

Comme elle n'avait plus d'algues à lui donner, il ne lui restait qu'à espérer qu'il lui ferait suffisamment confiance pour la suivre dans l'obscurité. L'entrée était un peu plus haute que les oreilles de l'étalon, mais de toute façon il courba l'échine et, une fois à l'intérieur, resta tête baissée, à souffler sur le sable.

Si la lumière du jour commençait à faiblir, Nora pouvait néanmoins distinguer encore les filets rangés au fond de la caverne, mêlés de coquillages et de lambeaux d'algues.

Lir s'avança encore et dégagea l'un de ceux-ci avec ses lèvres, puis il tourna la tête vers Nora. Avec un brun de verdure collé à son museau et son toupet recouvrant un œil, il ressemblait davantage aux poneys de la montagne qu'à un étalon naufragé venu d'un autre monde.

Nora se sentit tout à coup plus résolue encore à le cacher et à le soigner, sans savoir pour autant ce qu'elle en ferait lorsqu'il serait guéri. Pour l'heure, il lui restait tout juste assez de lumière pour trouver les plantes nécessaires à la santé de l'étalon et suffisamment d'herbe et d'eau pour le nourrir jusqu'au lendemain.

La jeune fille roula sa cape en boule pour ne pas la mouiller et la porta sous son bras pour se glisser hors de la caverne et regagner la plage en pataugeant.

Comme Lir commençait à la suivre, elle chercha le moyen de bloquer l'entrée et trouva non loin de là les restes d'un pin blanchi par le sel. Ses branches dénudées étaient cependant assez épineuses encore pour former une barrière efficace.

Elle traîna l'arbre jusqu'à la grotte dont elle bloqua l'accès. Lir l'observa par-dessus la barrière, apparemment sans chercher à la forcer. Il se contenta de renifler une branche pour retirer vivement son museau lorsqu'il se piqua sur une pointe.

— Reste là, maintenant. Je reviendrai vite, c'est promis.

Chapitre 9

Nora courut le long de la plage, tête baissée, en espérant que personne de sa famille ne la verrait du sommet de la falaise. Le seau cognait contre sa jambe et quelques coquillages tombèrent sur le sable, mais cela ne ralentit pas sa course.

Elle décida de rapporter aussi du trèfle et du cresson, ce qui lui fournirait un prétexte pour justifier son retard.

Elle se dirigea vers l'autre bout de la plage, évitant de remonter par le chemin, trop proche de la maison. Là-bas, la falaise était si basse qu'on pouvait accéder au sommet par les rochers. Elle se mit à arracher les quelques touffes d'herbe verte laissées par les poneys sauvages, et trouva du chardon bénit poussant près d'un lit de cresson, au fond d'un fossé asséché.

Le chardon, c'était pour aider à guérir la blessure de Lir. Il allait falloir patienter jusqu'au lendemain pour la barbotine et la camomille, plantes plus difficiles à trouver.

Nora était toujours accroupie au fond du fossé quand elle entendit un bruit de pas, amorti par l'herbe. Elle se figea, craignant un retour des cavaliers anglais ou le passage d'un membre de sa famille qui lui aurait ordonné de rentrer tout droit à la maison.

Il n'en fut rien. Un ébrouement familier la fit se retourner. Dunlin, au-dessus d'elle, l'observait avec curiosité.

— Bonjour, ma toute belle !

Nora grimpa hors du fossé en tenant à la main les herbes odorantes. Le groupe de poneys paissait autour de Fiach à quelque distance, et la jeune fille constata avec satisfaction qu'ils étaient tous là, y compris le poulain noir, fils de Dunlin.

Celle-ci s'approcha de Nora pour se faire caresser et d'un coup du chanfrein poussa son bras pour accéder aux herbes qu'elle portait dans sa cape.

— Hé non, grosse gourmande ! s'esclaffa la jeune fille. Ce n'est pas pour toi. Tu n'as qu'à en chercher toi-même.

La jument souffla et se mit à déambuler le long du fossé, happant de-ci de-là quelques brins d'herbe.

Nora longea la falaise en se demandant comment faire pour porter de l'eau fraîche à Lir. Il lui fallait prendre un autre seau à la maison, sans susciter de questions embarrassantes.

Elle resta un moment à l'abri du taillis de noisetiers afin de vérifier qu'il n'y avait personne autour de la chaumière. Elle y déposa le seau de moules qu'elle porterait plus tard à l'intérieur, puis s'avança en serrant son précieux paquet d'herbes contre sa poitrine.

La petite vache noire des Donovan se tenait à côté de la maison, près d'un seau de bois posé sous le bord du toit pour recueillir l'eau de pluie. Parfois, les animaux domestiques venaient y boire quand ils se sentaient trop paresseux pour aller jusqu'au ruisseau au-delà du taillis.

Nora fut rassurée de constater que le seau était rempli aux trois quarts. Elle aurait souhaité en apporter plus à l'étalon, mais elle en aurait sûrement renversé autant en descendant de la falaise et en traversant la grève baignée de vagues.

Elle se glissa entre le mur et le flanc chaud et velu de la vache et s'apprêtait à soulever le seau lorsqu'elle entendit tout à coup des voix.

Son père s'approchait de l'angle en compagnie de son frère Colm.

— On peut s'estimer heureux que la mer n'ait rejeté que des tonneaux sur notre plage, disait Tom Donovan. D'après le père Francis, il y a eu des naufrages tout le long de la côte cette semaine, et les Anglais s'ingénient à rassembler les victimes. Ces chiens menacent d'exécuter des familles entières d'Irlandais s'ils les suspectent d'avoir abrité des marins espagnols !

Nora eut un haut-le-cœur. Pour avoir tiré le jeune matelot hors des vagues, elle risquait d'attirer la colère des Anglais sur les siens. Il s'avérait donc préférable, somme toute, qu'il se soit éclipsé.

— Qu'ils le veuillent ou non, les Espagnols n'ont apporté rien de bon, poursuivit son père. Aussi, il vaut mieux que Maria et les filles restent près de la maison ces prochains jours.

— Tu as raison, ça ne fait pas de doute, répondit Colm. Mais elles ne te seront pas reconnaissantes d'en faire des oiseaux en cage.

Les pas s'approchaient. Nora se tapit derrière la vache, retenant son souffle et cherchant une excuse pour justifier le paquet d'herbes et le seau d'eau.

Tout à coup, la voix de sa mère s'éleva de l'autre côté de la maison.

— Tom ! Colm ! Vous pourriez me rapporter un peu plus de tourbe ? Et puis tâchez de voir où est passée Nora. Qui sait où elle aura été encore se fourrer, cette sauvageonne !

— Certains oiseaux sont plus difficiles à mettre en cage, ronchonna Tom. Viens, Colm, occupons-nous de la tourbe avant de chercher ta sœur. Elle sera sûrement sur la plage à gaver ses poneys d'algues.

Nora adressa en silence une prière de gratitude à sa mère tandis que le bruit des pas s'éloignait. Toutefois, il ne lui échappa pas que si son père et Colm devaient descendre à sa recherche, elle n'aurait que peu de temps pour porter l'eau à la grotte.

Elle courut jusqu'au chemin de la falaise, heurtant le seau avec ses jambes en renversant de précieuses quantités d'eau, et entama la descente avec précaution.

La marée remontait maintenant. Le niveau de l'eau autour du promontoire était si élevé qu'elle fut obligée de soulever le seau à hauteur de sa taille pour éviter que le courant l'emporte.

Elle atteignit enfin l'entrée de la grotte et plaça son baluchon d'herbes sous le bras pour ouvrir la barrière improvisée et la refermer. L'eau atteignait le seuil à présent, mais le sable remontait suffisamment à l'intérieur pour qu'elle n'y pénètre pas.

La silhouette gris pâle de Lir se dressait dans la pénombre, près des filets. Nora plaça le seau d'eau sur un côté et l'enfonça dans le sable pour empêcher que le cheval le renverse pendant la nuit.

— Tu vois, je t'avais bien dit que je reviendrais, murmura-t-elle en secouant l'herbe hors de sa cape, mais en conservant le cresson.

Les feuilles de chardon y étaient mélangées, et si tout allait comme elle l'espérait, la faim pousserait l'étalon à tout manger. Les poneys sauvages n'aimaient guère le goût amer de la plante, ce qui exaspérait Nora qui savait combien le chardon apaisait la douleur.

Le cheval étancha longuement sa soif, et la jeune fille lui promit de rapporter de l'eau de bonne heure le lendemain matin. Elle le caressa, et il tressaillit quand elle approcha sa main de l'épaule blessée.

Il faisait trop sombre pour permettre à Nora d'examiner la plaie, aussi espéra-t-elle que l'eau salée aurait empêché l'infection. Sous ses doigts, les bords n'étaient ni plus enflés ni plus chauds qu'auparavant.

Une vague explosa à l'extérieur de la grotte, rappelant à Nora qu'elle risquait de se voir emprisonnée par la marée montante.

Après avoir donné à Lir une dernière tape amicale sur l'encolure, elle se précipita dehors et affronta l'eau, s'avançant jusqu'à la taille. Elle fut même contrainte de nager quand le ressac manqua de la renverser, et lorsqu'elle déboucha sur le sable sec de la plage, les yeux lui piquaient sous ses cheveux trempés.

Elle avait presque atteint le chemin de la falaise quand deux silhouettes se profilèrent dans la pénombre.

— Nora ! À quoi joues-tu, bon sang ! s'écria son père en courant à sa rencontre.

— J'ai... j'ai été surprise par une vague, Pa.

— Franchement, Nora, tu n'as pas plus de bon sens qu'une feuille de trèfle, par moments ! s'exclama Tom Donovan en levant les yeux au ciel. Allez, viens, tu devrais être rentrée depuis longtemps.

Nora remonta la falaise entre son père et Colm, et lorsqu'ils atteignirent le pas de la porte, Nora laissa entrer les deux hommes en prétextant un besoin urgent. Puis elle courut récupérer le seau de moules au taillis et retourna affronter les remontrances des femmes.

Or, soit qu'elles aient eu d'autres préoccupations, soit qu'elles se fussent habituées à ses escapades, ni sa mère ni ses sœurs ne lui firent de reproches.

Le lendemain matin, Nora fut obligée de traire la vache et de baratter un demi-seau de crème avant de pouvoir s'échapper.

La tempête passée, le calme était revenu et d'épais nuages noirs couronnaient le sommet des montagnes.

Nora arracha de généreuses poignées d'herbe du pâturage derrière la chaumière, sous les regards attentifs de la jument Ballach et de la vache noire. Quant à la provision d'eau, elle estima qu'il serait plus prudent d'utiliser le seau resté dans la grotte, sa sœur Ann ayant déclaré d'un ton agacé que la tempête avait dû l'emporter.

Emprunter les deux seaux de la maison en même temps risquerait d'éveiller les soupçons.

Son père et Colm s'étaient rendus au port et, comme prévu, sa mère et ses sœurs devaient rester dans la maison. Ainsi, personne ne vit Nora descendre la falaise et longer la plage.

La marée était basse, l'absence de vagues lui permit d'atteindre la grotte sans se mouiller les pieds et ce fut d'un cœur léger qu'elle ouvrit la barrière, surtout lorsque Lir tendit la tête par-dessus les branches pour lui souffler doucement dans les cheveux.

— Tu me reconnais, n'est-ce pas ? lui demanda-t-elle en se glissant à l'intérieur.

Il grogna gentiment et fouilla la cape avec ses naseaux. Nora déballa l'herbe et la déposa en tas au sol. Lir baissa aussitôt la tête et commença à manger.

C'est alors qu'elle réalisa que l'étalon n'était pas le seul occupant de la grotte.

En regardant les filets, elle aperçut, parmi les résidus d'algues et de coquillages, le visage blême sous sa tignasse noire, le jeune marin espagnol profondément endormi.

Chapitre 10

Nora ne put empêcher un cri de surprise. Le garçon se réveilla brusquement et leva la tête, regardant éperdument autour de lui, l'air égaré. Il écarquilla les yeux en voyant Nora.

— *Ayudame* ! s'écria-t-il d'une voix rauque, la gorge desséchée par le sel. *Por el amor de Dios, ayudame.*

Nora le fixa, horrifiée. Elle savait qu'il la suppliait de l'aider, mais comment le pourrait-elle ? La conversation de son père à propos du sort que les militaires anglais réservaient à ceux qui aidaient les naufragés lui résonnait encore dans les oreilles.

— Je... je ne peux pas, bégaya-t-elle en reculant. Je suis désolée. Tu ne peux pas comprendre !

Le garçon tenta de s'asseoir, en se soulevant sur un coude, sa jambe blessée repliée sous lui.

— *Por favor*, reprit-il d'une voix faiblissante, *ayudame.*

Nora se détourna pour ne pas entendre les supplications du malheureux. Elle se répétait qu'elle ne pouvait rien faire pour lui. La barque de Colm n'était déjà pas assez solide pour atteindre Galway par la côte, il était donc exclu qu'elle puisse transporter quelqu'un jusqu'en Espagne. Elle ne savait pas bien où se trouvait ce pays, mais il était sûrement de l'autre côté de l'océan, très loin de leurs côtes.

Les larmes lui montaient aux yeux et elle se heurta à l'étalon qui s'ébroua, surpris, et s'écarta légèrement. Nora appuya un instant sa joue contre l'épaisse crinière.

— C'est impossible, se lamenta la jeune fille comme si elle cherchait à expliquer à Lir pourquoi elle se dérobait. Je ne peux pas mettre ma famille en danger !

L'étalon lui souffla dans les cheveux.

Nora se redressa et s'efforça de regarder le jeune marin. Il s'était étendu de nouveau, immobile dans les filets et presque invisible, ce qui expliquait pourquoi elle ne l'avait pas remarqué la veille.

Elle avait peut-être risqué la vie d'un des siens en le sauvant des griffes du dieu de la Mer, se dit-elle, et elle n'était pas prête à défier le sort une seconde fois.

Elle sortit de la grotte, décidant cette fois de ne pas refermer l'accès. Ainsi, rien ne retenait Lir dans l'abri.

Sur le chemin du retour, elle s'efforçait de croire qu'elle avait fait cela pour l'étalon. Afin de l'aider à recouvrer la liberté et à se débrouiller seul pour boire et manger, à l'instar des chevaux de la montagne.

Nora pensait qu'il ne s'éloignerait pas trop de la péninsule tant que sa blessure ne serait pas guérie et qu'elle pourrait le retrouver et l'emmener au fond d'une vallée dans les montagnes, à l'abri des Anglais et des marchands de chevaux.

Mais elle savait en vérité qu'elle avait déplacé l'arbre pour ne plus avoir à retourner dans la grotte. Elle voulait effacer de son esprit l'expression terrifiée du jeune malheureux à l'idée de se trouver seul, blessé et mourant de faim, sans personne pour l'aider.

Au sommet de la falaise, derrière la chaumière de Donal Foyle, une fille à la taille épaisse et aux cheveux couleur de tourbe desséchée était assise sur un tabouret, près d'un panier de choux.

Elle ôtait des limaces d'un tas de feuilles posées sur ses genoux et les jetait une par une dans l'herbe. À l'approche de Nora, elle leva sa tête joufflue et la dévisagea de ses petits yeux mesquins.

— T'as un problème, Nora, annonça-t-elle en faisant tortiller une limace entre ses gros doigts.

— Pourquoi dis-tu ça, Clara Foyle ?

— Tu n'as qu'à aller voir toi-même. Tout ce que je sais, c'est qu'on a envoyé Ann au port te chercher, parce que tu as laissé le seau de beurre à moitié baratté, entre autres bêtises. Tu t'imaginais que ton père et ta mère ne s'inquiéteraient pas alors que tu vas te balader dieu sait où, avec tous ces soldats anglais dans les parages ?

— Je n'ai que faire des soldats anglais, répliqua Nora.

Elle estimait qu'elle n'avait pas à se justifier auprès de cette voisine trop empressée de lui rapporter de mauvaises nouvelles.

— Je ferais mieux de rentrer, conclut-elle à voix haute.

Ballach leva la tête à son passage et la regarda avec curiosité, mais Nora se contenta de lui gratter le chanfrein sans plus s'attarder.

Lorsqu'elle ouvrit la porte, son cœur sombra. Jamais elle n'avait vu tant de mines renfrognées en un seul endroit. Outre ses parents et frères et sœurs, le père Francis était là, se tenant au fond de la salle avec sa fidèle corneille sur l'épaule. Son visage était dans l'ombre, exprès semblait-il, pour dissimuler ses sentiments.

— Oh ! Nora, d'où viens-tu ? s'écria sa mère en accourant pour l'étreindre. Qu'est-ce qui a pu te faire partir sans avoir fini le beurre ?

— Je suis désolée, Ma.

— C'est sûr, lança son père, mais tu aurais pu réfléchir un peu avant de disparaître comme ça !

Son visage était cramoisi et ses cheveux épars, comme s'il avait couru dans le froid et le vent.

Nora rougit, se sentant coupable.

— Je ne savais pas que vous me cherchiez, balbutia-t-elle. J'ai cru que le beurre était fait, et...

— Tu appelles ça du beurre, toi ? s'écria Meg en brandissant le seau de liquide jaune empli de grumeaux. Même les gnomes de la forêt n'y toucheraient pas !

Tom Donovan tenta d'apaiser la colère de sa fille.

— Allons, Meg, calme-toi. L'important, c'est que Nora soit revenue saine et sauve.

— Et Ann, qui est parti prévenir Mor, Sean et Rua ? Ça va faire deux familles de plus à se faire du mauvais sang !

Le visage de sa sœur était pâle et tendu, signe qu'elle avait eu très peur, et Nora lui posa une main sur le bras.

— Je suis navrée, Meg. J'aurais dû faire plus attention.

L'aînée renifla en détournant la tête, et Nora s'aperçut que l'inquiétude de ses proches allait au-delà de sa simple absence d'une heure ou deux.

— Il est arrivé quelque chose ? demanda-t-elle.

Le père Francis sortit de l'ombre, le visage grave.

— Certains marins ont survécu à la tempête, Nora. Huit en tout. Mor les a vus gagner l'intérieur des terres, hier après-midi. Tes parents craignaient que tu les aies croisés si tu étais partie à la recherche des poneys sauvages.

Nora le fixa du regard, interdite. D'autres rescapés espagnols, ici, à Errislannan ?

— Est-ce que les soldats les ont arrêtés ?

— Pas que je sache, répondit le prêtre. Si le Seigneur les a protégés jusqu'ici, peut-être fera-t-il en sorte qu'ils trouvent quelqu'un qui les aidera à regagner leur pays.

— Mais c'est impossible, non ? s'enquit Nora en fronçant les sourcils.

— Il y a plus d'un chef de clan prêt à donner l'abri et des armes à un marin espagnol. Murray O'Flaherty, par exemple.

— C'est impensable ! protesta Maria Donovan avec indignation. Il n'y a pas si longtemps que Murray a juré fidélité à la reine Élisabeth !

Les parents de Nora, comme nombre de protégés du chef de clan, n'avaient pas apprécié son serment d'allégeance à la souveraine anglaise en « échange » du château d'Aughnanure.

Le prêtre sourit, malgré son regard encore sombre.

— Murray O'Flaherty est moins l'ami des Anglais qu'on pourrait le croire, et, de plus, il reçoit souvent la visite d'un vaisseau espagnol chargé de vins et d'épices. Il est fort possible que les Espagnols aient déjà entendu parler d'Aughnanure.

Nora dévisagea de nouveau le prêtre, se sentant tiédir intérieurement malgré ses vêtements humides. Y aurait-il quand même de l'espoir pour le jeune marin de la grotte ? Serait-il en état de voyager jusqu'à Aughnanure ?

Elle fronça les sourcils, se rendant compte qu'elle était trop concernée par le naufragé. Sans doute parce qu'elle lui avait sauvé la vie en défiant le courroux du dieu de la Mer ?

Le père Francis aurait pu dissiper ses craintes au sujet de Manannan MacLir, mais il se gardait de défier la superstition des habitants des chaumières, transmise de génération en génération depuis l'aube des temps.

Nora secoua la tête, désemparée, et sa mère le remarqua.

— Est-ce que tu vas bien ?

— Oui, oui, Ma. Tout à fait bien.

Chapitre 11

— Je vais chercher Ann, dit Tom Donovan, et rassurer Mor et Sean. Quant à toi, ma fille, je te conseille de rester à la maison pour le restant de la journée. Il y a du beurre à baratter, par exemple... Viens, Colm.

— Oui, Pa, fit Nora en rougissant, tandis que la porte se refermait derrière les deux hommes.

Malgré les instructions de son père, elle savait qu'elle retournerait à la grotte, ne serait-ce que pour voir si le marin l'avait quittée. Peut-être était-il à ce moment même en route pour Aughnanure, espérant y trouver un navire marchand qui le ramènerait en Espagne.

Meg, occupée à remuer un bouillon dans la marmite, la regarda de biais.

— Tu ne m'as toujours pas raconté la soirée au château, dit-elle en lui tendant la palette de bois qui servait à battre le beurre.

— Il n'y a pas grand-chose à dire. Les gens ont peu dansé avant l'arrivée de Brenan Odoyne, après quoi tout le monde n'a parlé que des navires espagnols.

— As-tu vu quelques-uns des mercenaires ?

— Un petit groupe seulement. L'un d'eux s'est disputé avec un barde et a été poussé dans la rivière en sous-sol. Il portait une peau de renard autour des épaules, de la même couleur que ses cheveux.

— Oui, je vois lequel tu veux dire.

Nora leva les yeux. Sa sœur observait les flammes de l'antre, le regard lointain. De toute évidence, elle gardait son propre souvenir du mercenaire rouquin.

— Dan Devlin était là... précisa sa petite sœur après quelques instants d'hésitation.

— Oui, soupira Meg. Colm me l'a dit. Je n'ai pas envie de rejoindre son écurie.

Nora hocha brièvement la tête et se remit à taper de grands coups sur la motte de beurre.

Sa mère l'interrompit en lui touchant l'épaule.

— Veux-tu bien te rendre chez Nuala Foyle et lui demander un peu de camomille ? Je dors mal en ce moment avec ces histoires de naufrages et de fugitifs espagnols.

Nora acquiesça et, posant la palette à côté du beurre, se leva.

Le père Francis fit de même.

— Je t'accompagne, dit-il en claquant des doigts.

La corneille Alexa, obéissante, quitta un perchoir improvisé pour venir se poser sur l'épaule du prêtre.

Nora se demandait s'il venait pour la surveiller, mais apprit aussitôt que ses doutes n'étaient pas fondés.

— J'ai promis à Nuala de prier avec elle ce soir, lui expliqua-t-il en sortant.

Ils rencontrèrent en chemin Donal Foyle qui partait s'approvisionner en tourbe, et le prêtre s'arrêta pour lui parler. Ainsi, Nora arriva seule à la porte de la chaumière des voisins, et lorsqu'elle frappa, ce fut Clara Foyle qui lui ouvrit.

— Ah, c'est toi ?

Elle semblait surprise de voir Nora, ayant cru sans doute qu'elle serait interdite de sortie pour avoir gâché le beurre.

L'intérieur de la maison des Foyle ressemblait à celui des Donovan, à cette différence près que la forte odeur iodée des huîtres et moules rapportées quotidiennement par Colm était remplacée ici par l'arôme épicé des herbes de Nuala.

— Bien le bonjour, Nora, lui dit celle-ci, assise près de la cheminée, au fond de la salle. C'est ta mère qui t'envoie ?

La mère de Clara avait le même visage rond que sa fille ainsi que ses cheveux bruns, mais son regard était franc et chaleureux. C'était auprès de Nuala que Nora avait appris l'usage des plantes médicinales et certaines recettes de guérisseuse.

La jeune fille hocha la tête et s'approcha de l'âtre. Nuala était en train de mélanger une pâte verdâtre dans un bol en écorce de bouleau, en y ajoutant des hachures de feuilles séchées qu'elle écrasait avec un pilon de bois.

Nuala enveloppa un peu de la pâte dans une large feuille de patience.

— Qu'est-ce que tu prépares là ? lui demanda Nora, intriguée.

— C'est un mélange pour soigner les éraflures et les coupures.

Nuala remarqua les mains de Nora, rouges et griffées à force d'escalader les rochers et le flanc de la falaise.

— Tu en veux ? Ça empêchera l'infection et raffermira ta peau.

Nora pensa immédiatement à la blessure de Lir. Voilà qui aiderait à la guérir... Mais comme elle n'avait pas replacé la barrière, elle risquait fort de ne plus le retrouver, songea-t-elle en se mordant la lèvre.

— Nora ? murmura Nuala en lui tendant le bol.

— Est-ce que je peux en emporter un peu ? Je... je m'en mettrai sur les mains avant de dormir.

— Bien sûr. Voici. Mais tu ne m'as toujours pas dit pourquoi tu es venue.

— Ma voudrait de la camomille... et peut-être un peu de consoude, si tu peux nous en donner ?

Nora savait qu'il n'existait pas de meilleur traitement pour fortifier les os.

La guérisseuse hocha la tête et se leva pour décrocher d'une poutre deux bouquets de feuilles. Nora vit Clara la fusiller du regard de l'autre bout de la pièce.

La porte s'ouvrit et Donal Foyle entra, suivi du prêtre.

— Le père Francis est venu prier avec nous, annonça Foyle.

— Merci, mon père, dit Nuala en souriant au visiteur. Nora, tu te joindras bien à nous ?

La jeune fille aurait préféré courir à la grotte pour avertir le jeune Espagnol que Murray O'Flaherty pourrait peut-être l'aider. Mais le père Francis l'observait d'un air interrogateur, comme s'il lisait ses pensées.

— Avec plaisir, répondit-elle en s'efforçant de sourire.

Durant les prières, Nora jeta un coup d'œil à la fenêtre. Il ferait bientôt nuit, et il serait trop tard pour se rendre à la grotte sans alarmer une fois de plus ses parents.

Dès que le dernier « amen » fut prononcé, elle saisit les herbes et gagna la porte, mais le prêtre la rejoignit en s'entourant de sa cape.

— Vous partez si tôt, mon père ? lui demanda Nuala, au grand soulagement de Nora.

— Oui, je suis attendu à Ardagh cette nuit, répondit le religieux en tenant la porte pour laisser passer Nora qui se résigna à sortir avec lui après avoir remercié Nuala.

— Veux-tu bien accompagner un vieil homme jusqu'à la crête ?

— Tu n'es pas si vieux ! glousa Nora malgré sa frustration.

Le prêtre s'arrêta et la regarda d'un œil bleu et sérieux.

— Je suis trop âgé pour certaines choses, Nora, dit-il d'une voix douce. C'était déjà assez pénible de subir les Anglais, mais je crains que ces pauvres marins espagnols apportent bien du malheur à des familles innocentes.

Nora frissonna. Elle savait qu'elle mettait sa vie en danger, mais puisque le prêtre lui-même l'avait informée d'une possibilité de salut pour le garçon espagnol, elle ne pouvait plus rester indifférente à son sort.

Lorsqu'ils atteignirent le sommet du chemin, le père Francis s'arrêta.

— Il semble que je ne voyagerai pas seul.

Nora suivit son regard et distingua dans le crépuscule deux chevaux qui s'approchaient, l'un d'eux monté par un cavalier emmitouflé dans sa cape. Elle fronça le sourcil en se demandant pourquoi le second cheval, encordé au premier, lui semblait si familier.

C'était un bai brun qui dépassait son compagnon d'au moins deux mains, et son long toupet lui recouvrait une bonne partie du chanfrein. Il levait haut ses sabots et semblait fatigué.

— Bien le bonsoir ! s'écria le cavalier, et Nora reconnut la voix de Dan Devlin, le marchand de chevaux.

Tout à coup, elle comprit pourquoi le second

cheval l'intriguait : si ce n'était la couleur de sa robe, elle aurait cru voir Lir.

— Bonsoir, mon père, bonsoir, Nora Donovan. Je ne m'attendais pas à si bonne compagnie sur la route cette nuit.

— Je marcherai avec toi jusqu'à Ardagh, Dan, mais Nora s'apprête à rentrer chez elle.

Tout à coup, Alexa, la corneille du prêtre, surgit de la nuit en croassant, pour venir se poser sur l'épaule de son maître. L'étalon s'ébroua et recula, roulant les yeux.

— Holà, doucement ! cria Devlin en resserrant la corde d'attache.

Instinctivement, Nora s'avança et posa sa main sur l'encolure moite et glissante du cheval. Elle remarqua une écorchure semblable à la blessure de Lir.

— C'est bon, susurra-t-elle. Ce n'est qu'un oiseau, tu vois.

— Prends garde à toi, Nora, avertit Devlin.

— C'est un beau spécimen, commenta le père Francis. D'où vient-il ?

Dan Devlin sourit d'un air complice.

— Il n'y a pas eu que des marins rejetés par les vagues. Me croirez-vous si je vous dis que je l'ai trouvé sur la plage au-delà du cap ?

— Il vient donc de loin, en conclut le prêtre en hochant lentement la tête.

Nora ne dit mot. Elle continua de caresser le bai, se demandant ce que Devlin comptait en faire.

— Alors Nora, lança le marchand, ne crois-tu pas qu'il ferait un beau cadeau de mariage pour Meg ?

Nora se contenta de lui jeter un regard oblique.

— Je ne saurais pas te dire...

— Ça vaudrait la peine d'essayer, tu ne crois pas ? reprit Dan en lui adressant un clin d'œil. Elle aurait la plus belle monture du comté de Galway.

Le père Francis s'interposa.

— Nombreux sont ceux qui aimeraient posséder une telle bête.

— C'est sûr, répliqua Devlin. Murray O'Flaherty n'hésiterait pas à délier sa bourse pour posséder un cheval plus beau et plus puissant que tous ceux des autres chefs de clan. Et ce capitaine anglais ne le dédaignerait pas non plus. Tu me diras, Nora, si tu trouves d'autres débris comme celui-ci, de ton côté.

Elle fixa le marchand de chevaux du regard, horrifiée à l'idée que Lir puisse être vendu à un chef de guerre querelleur ou à un officier anglais. S'il avait quitté la grotte, il pourrait bien croiser le chemin de Dan Devlin, n'importe où et n'importe quand.

Elle n'eut pas à répliquer, car le cheval espagnol, impatient, fit un écart et cogna de la croupe le poney de Devlin.

Celui-ci marmonna un juron en talonnant sa monture pour ne pas déraper sur le bas-côté.

— Je dois partir. Je serais heureux de votre compagnie, mon père, mais pardonnez-moi si je ne vous propose pas de monter ce grand garnement.

— Oh, je ne suis pas de taille, acquiesça le prêtre.

Il se tourna vers Nora et lui posa une main sur l'épaule.

— Tu vas filer droit vers la maison, n'est-ce pas, ma fille ? Tes parents t'attendent, et ce ne serait pas charitable de les inquiéter deux fois dans la même journée. Et puis tu sais, tes poneys seront là demain matin, je te le promets.

Nora s'efforça de lui retourner son sourire et hocha la tête. Il valait mieux lui laisser croire que c'étaient les poneys sauvages qui motivaient ses absences.

Comme le prêtre s'éloignait, elle songea avec regret qu'il était trop tard pour se rendre à la grotte. Elle n'y verrait rien, de toute manière et, en effet, elle ne voulait pas affoler encore sa famille. Elle rendrait visite dès l'aube à ses deux protégés, tous deux la proie innocente des soldats anglais et des marchands de chevaux.

Chapitre 12

Un ruban de ciel doré s'étendait au-dessus des montagnes quand Nora sortit de la maison sur la pointe des pieds. Cela laissait présager du beau temps, mais pour l'instant il faisait encore froid et son haleine, à chaque souffle, formait un nuage de vapeur.

Elle avait saisi le reste d'une miche de pain sur la table et arracha une bonne ration d'herbe avant de s'élancer vers le chemin de la falaise.

Elle aperçut de loin le pin qui roulait sur la grève et se rappela que le garçon et le cheval avaient probablement quitté leur abri. Aussi accéléra-t-elle sa course, comme si cela pouvait y changer quelque chose.

Hors d'haleine, elle gravit la pente et se tint un instant devant l'entrée pour recouvrer son souffle. Une forme pâle bougea au fond de la grotte et Lir se détacha de la pénombre, l'encolure tendue et les naseaux frémissants.

— Tu es là ! s'écria Nora avec joie.

Elle posa sa cape sur le sable pour caresser l'étalon des deux mains. Elle constata que la peau autour de la blessure était normalement tiède mais encore légèrement enflée. Elle se baissa et sortit de sa cape la feuille de patience et se mit à étaler la pâte verte sur la plaie.

Le cheval se laissa faire, observant la jeune fille de ses grands yeux humides. Elle lui donna la feuille à manger, jugeant qu'il aurait suffisamment faim pour en ignorer l'amertume. Puis elle lui donna l'herbe. Elle aurait voulu en chercher davantage, avec de l'eau fraîche, mais elle devait d'abord s'occuper du jeune naufragé.

Elle s'avança vers le fond de la cave et vit le garçon couché sur les filets, recroquevillé sur lui-même et profondément endormi. Elle se sentit à la fois soulagée et affligée : il n'avait pas été pris par les Anglais, mais saurait-elle lui expliquer qu'il devait se rendre à Aughnanure s'il voulait trouver un navire qui le ramènerait chez lui ?

Le cheval la rejoignit, ses sabots crissant sur le sable. Le garçon s'éveilla, terrifié, et saisit un gros bâton qu'il gardait près de lui.

— Non ! Arrête ! s'écria-t-elle.

Il lâcha son arme improvisée et la dévisagea, ses yeux cerclés d'ombre reflétant sa douleur.

— Tu es revenue, chuchota-t-il.

Il s'était exprimé en espagnol, d'une voix rendue rauque par sa gorge desséchée. Nora réussit cependant à le comprendre et même à l'interroger dans sa langue.

— Qui es-tu ?

— Je suis José Sebastián Medovar, grogna-t-il en tentant péniblement de se redresser, fils de don Pedro Sebastián Medovar de Cadix, l'un des plus puissants seigneurs d'Andalousie.

Malgré sa faiblesse et les lambeaux de sa chemise ensanglantée, une sorte d'étrange dignité émanait de sa personne.

Il ferma soudain les yeux et vacilla. Nora se précipita pour l'aider à se recoucher. Sa peau était froide et moite, son front baigné de sueur.

— Reste tranquille, lui dit-elle en irlandais cette fois, tu es encore trop faible pour t'asseoir.

— Ma jambe, murmura-t-il en reposant sa tête. Elle me fait mal.

Elle le dévisagea, interloquée.

— Tu parles irlandais ! s'étonna-t-elle, se rappelant de manière diffuse son appel de détresse au creux des vagues.

— Oui, fit-il en la gratifiant d'un pâle sourire. Et toi espagnol...

— Très peu. J'ai appris avec les pêcheurs de harengs venus de ton pays.

— Ma tante est de Galway. Mon oncle est marchand de vins. Il venait souvent ici en bateau, et il a ramené ma tante à Cadix avant ma naissance. Elle s'est occupée de moi après la mort de ma mère.

Nora sentit le souffle chaud de Lir dans ses cheveux, et elle se tourna pour le faire reculer.

— J'irai chercher de l'eau dans un instant, promit-elle.

José remua sur son lit de filets et leva une main.

— Le cheval... Il est toujours là ?

— Oui. Il est venu de ton bateau ?

— Peut-être, je ne sais pas. Il y avait beaucoup de chevaux mais je ne m'en occupais pas.

Il bougea de nouveau, grimaçant de douleur.

— Tu peux m'aider ? gémit-il. Je t'en prie.

— Je... je n'en suis pas certaine. Regarde, je t'ai apporté du pain...

Elle s'interrompit, voyant que le garçon gisait immobile, les yeux clos. Elle lui toucha le front. Il était brûlant. Elle aurait voulu lui donner de la bourrache et de l'herbe à écu, mais elle se souvint que Nuala lui avait enseigné de ne surtout pas laisser s'endormir un blessé souffrant d'une forte fièvre.

— José, appela-t-elle, réveille-toi.

Elle arracha un morceau de pain et le tint contre ses lèvres. Lir pencha sa tête par-dessus son épaule, les naseaux frémissants. Elle gloussa malgré l'urgence de la situation et le repoussa.

— Ne le laisse pas manger mon pain, murmura le blessé avec un pâle sourire.

Il avait les yeux ouverts, mais ses lèvres étaient pincées et blanches de douleur.

— Essaie de manger, lui ordonna-t-elle.

Et il obéit, mastiquant lentement.

Morceau par morceau, elle réussit à lui faire avaler tout le pain.

— De l'eau ? demanda-t-il en regardant Nora avec espoir.

— Je vais t'en chercher, pour Lir aussi.

— Lir ?

— Le cheval, expliqua-t-elle en rougissant. Je l'ai surnommé ainsi quand je l'ai trouvé.

Malgré ses lèvres asséchées, le garçon réussit à sourire.

— Le nom de votre dieu de la Mer ? Tu as une grande estime pour ce cheval.

— Bien sûr ! rétorqua Nora, surprise.

— Ce n'est qu'un cheval...

— Comment peux-tu dire une chose pareille ? Il est magnifique !

— Dans mon pays, il y a beaucoup de chevaux comme lui. S'il était à bord de mon navire, c'est qu'il vient d'Andalousie, comme moi. Ce sont les meilleures montures de guerre du monde entier. Mais ils ne sont pas toujours entraînés à combattre...

Il cessa de parler, comme si cela l'épuisait. Il soupira longuement, difficilement, puis regarda Nora droit dans les yeux.

— Je dois trouver un navire qui me ramènera en Espagne. Peux-tu m'aider ?

Nora tordit avec embarras un pan de sa cape entre ses doigts.

— Peut-être. Il y a un homme, Murray O'Flaherty, le seigneur de cette région, qui vit à deux jours d'ici, à Aughnanure. Il traite régulièrement avec des marchands espagnols. J'ai... j'ai entendu dire que d'autres hommes de ta flotte, échoués ici, font route vers son château.

José s'efforça de s'asseoir.

— D'autres hommes de chez moi ? Où cela ? Peux-tu m'aider à les rejoindre ? Nora vit une tache de sang fraîche éclore sur la culotte du garçon à hauteur de sa blessure.

— Reste tranquille, sinon ta blessure à la jambe va empirer. Je n'ai pas vu ces hommes moi-même, et ils seront sans doute à mi-chemin d'Aughnanure, à l'heure qu'il est.

« Pourvu que les Anglais ne les aient pas capturés », songea-t-elle, inquiète.

— Je dois les rattraper. Dis-moi dans quelle direction se trouve ce château.

Nora ouvrit la bouche pour lui expliquer, mais changea d'avis.

— Tu n'arriveras jamais à l'atteindre ! Tu dois absolument te reposer. Je t'apporterai davantage à manger et de l'eau, et puis des herbes pour soulager ta douleur.

Elle se sentit étrangement calme. Elle faillit même sourire à la pensée de ses frères et sœurs qui seraient bien étonnés de voir leur petite Nora si résolue et pleine de ressources.

José ferma les yeux et s'étendit de nouveau, comme s'il se sentait trop faible pour protester. Nora se leva, secoua le sable sur sa jupe et ramassa le seau vide posé là depuis deux jours.

— Attends. Je ne sais pas comment tu t'appelles.

— Honora. Mais d'habitude, on m'appelle simplement Nora.

Chapitre 13

Lorsque Nora regagna la chaumière, à son grand soulagement, sa famille se réveillait seulement. Sa mère, qui semblait avoir bien dormi grâce à la camomille, l'accueillit en lui tendant un bol de lait chaud.

— Merci, Ma... Je... je pensais descendre à la plage ce matin pour rapporter des moules.

Elle fut contente de voir sa mère hocher la tête.

— Rapporte aussi des algues, même si ton père prétend que nous finirons par nous transformer en tritons. On n'a pourtant pas le choix. C'est ça ou mourir de faim. Les quelques choux qui nous restent sont dévorés par les limaces.

Nora prit la pelle à moules et sortit avec le bol de petit-lait dont elle allait faire profiter José. Elle collecta toute l'herbe que pouvait contenir sa cape et remplit les deux seaux d'eau fraîche. Il n'y aurait plus de galette d'avoine avant le soir, mais les algues qui avaient servi à attirer Lir étaient suffisamment comestibles, et elle résolut d'en ramasser en chemin.

Ainsi chargée, Nora trouva ardue la descente sur la plage. De plus, elle redoutait que quelqu'un de sa famille ou, pis encore, Clara Foyle, l'interpelle du haut de la falaise en lui posant des questions embarrassantes.

Pourtant, dès qu'elle aperçut le superbe étalon qui la guettait par-dessus la barrière de branches, elle oublia ses soucis.

Dès qu'elle posa les seaux d'eau, Lir plongea la tête dans l'un d'eux et but jusqu'à la dernière goutte, puis s'attaqua au deuxième avec la même ardeur. Nora dut lui saisir la crinière et relever sa tête.

— Il faut en laisser pour José, voyons.

Elle étala une bonne portion d'herbe et d'algues sur le sable, puis s'enfonça dans la grotte pour apporter le seau et le bol de babeurre à José. Il était réveillé et se tenait dressé sur un coude, et elle fut rassurée de constater que son front n'était plus moite.

Il avala goulûment plusieurs gorgées du lait de beurre, avant de repousser le bol avec une grimace de dégoût.

— *Madre de Dios,* s'exclama-t-il, pourquoi tu me donnes du lait tourné ?

— Il n'est pas tourné, c'est du beurre de lait.

— Dans mon pays, on jette ça !

— Eh bien tu n'es pas dans ton pays, vois-tu ! rétorqua Nora, agacée. Voici enfin de l'eau, et je t'ai apporté des herbes pour soigner ta jambe. Vas-tu te plaindre aussi de ça ?

— Pardonne-moi, dit José d'un air penaud. Je ne voulais pas paraître ingrat. Sans toi, je serais mort maintenant.

La jeune fille pressa les herbes dans ses poings pour en tirer le jus, et la caverne s'emplit de leur arôme épicé. Lir, tout en broutant, remua les oreilles d'avant en arrière. José avala les feuilles entre les gorgées d'eau et lorsque Nora lui tendit les rubans d'algues, il leva les sourcils mais les mangea sans broncher.

Sa blessure ne saignait plus, mais il fallait la panser avant qu'il puisse bouger sa jambe. Nora se promit d'apporter des bandes de tissu et la préparation verdâtre de Nuala.

— Me diras-tu à présent comment rejoindre

ce château ? demanda José en s'allongeant, son frugal repas terminé.

— C'est loin. Et tu n'es pas encore en état de faire un si long voyage.

Le garçon lui saisit le bras et elle s'étonna de sa force.

— Il le faut, pourtant. Sinon, les autres vont s'en aller sans moi !

— Tu ne peux même pas te lever ! s'exclama la jeune fille en se dégageant. Tu es incapable d'atteindre le bout de la plage !

Elle sentit palpiter son cœur en voyant le regard désespéré du garçon. On aurait cru un animal blessé. Elle jeta un œil sur le bâton qu'il tenait toujours près de lui.

Il suivit son regard, puis secoua lentement la tête.

— Quoi ! Tu crois que j'essaierais de te forcer à parler, Nora ? Comment pourrais-je, quand je peux à peine marcher ? Et puis tu me juges mal si tu penses que c'est comme ça que je te récompenserais de ta gentillesse !

— Je suis désolée... bredouilla Nora en rougissant, mais le garçon l'interrompit d'un geste d'impatience.

— Peu importe. Je sais que je ne peux pas marcher jusqu'à ce château, où qu'il soit. Mais je pourrais y aller à cheval, pas vrai ?

— Comment, sur Lir ? s'exclama Nora, sentant poindre soudain un sentiment de jalousie.

José secoua la tête.

— Je ne prétends pas monter l'étalon. Je fais du cheval chez moi, mais je ne suis pas le meilleur des cavaliers. Le voyage sera déjà éprouvant, je crois. Ta famille ne posséderait-elle pas une jument que vous pourriez me prêter ?

Nora le regarda, interdite. Croyait-il que sa famille était riche ? Qu'il prenne Ballach était hors de question. Elle ne trouverait jamais un prétexte crédible pour expliquer la disparition subite de la jument.

Mais une petite voix intérieure lui suggéra un autre poney capable de transporter le garçon si loin.

— Alors ?

Nora secoua la tête. Même s'il était possible d'expliquer le chemin à José, Dunlin n'était pas habituée à ce qu'on la dirige. Suivre tout droit la route passant par Straith Salach aurait été assez simple, mais le jeune fugitif devrait emprunter des sentiers cachés dans la montagne pour éviter les patrouilles anglaises.

— C'est une idée idiote, s'entendit-elle dire. Il y a une jument qui vit dans la montagne, mais je ne sais pas si elle serait prête à te porter. Et puis le chemin par les collines est très compliqué, tu te perdrais sûrement...

— Attends, va moins vite, interrompit José en levant une main. Je ne te comprends pas, sinon. Quelle est cette jument ?

Nora rassembla ses jupes et s'assit sur les filets à côté du garçon.

— Il s'agit d'un poney, une jument qui vit dans la montagne. Je l'appelle Dunlin. Elle n'appartient à personne mais elle me laisse la monter de temps à autre. Or, je crains que même si elle voulait t'emmener, je ne pourrais pas t'indiquer le chemin le moins risqué. C'est trop compliqué...

Elle secoua la tête sans finir sa phrase et observa avec morosité ses souliers noircis par l'eau. José se pencha vers elle, le regard intense.

— Nora, si j'ai la moindre chance de regagner l'Espagne, il me faut à tout prix atteindre ce château. Si je m'attarde ici, les soldats anglais me trouveront. Et ils risquent de se demander qui m'a aidé...

Son regard s'assombrit, et Nora frissonna.

— Si le voyage est aussi dangereux que tu le dis, poursuivit José, il ne nous reste qu'une solution. Il faut que tu viennes avec moi !

Chapitre 14

— T'accompagner ? Jusqu'à Aughnanure ?

José hocha la tête.

— Comme ça, je serai sûr de suivre le bon chemin.

Il parlait avec assurance, comme s'il était habitué à donner des ordres. Sa famille devait être très riche effectivement, si elle employait des serviteurs et possédait plus d'un cheval.

— Je ne peux rien te donner en retour, ajouta le garçon, mais mon père t'enverra de l'argent d'Espagne, je te le promets.

— Je n'ai que faire de l'argent de ton père, dit Nora en secouant la tête. Mais Dunlin n'est pas assez forte pour nous porter tous les deux.

— Dans ce cas, tu n'as qu'à prendre l'étalon, s'exclama-t-il, comme s'il était surpris qu'elle n'ait pas songé à l'évidence même. Tu t'y connais mieux que moi en chevaux, et si tu as su apprivoiser un poney sauvage, tu n'auras aucun mal à chevaucher celui-ci.

Nora s'apprêtait à écarter une idée si folle, puis hésita. Elle regarda l'étalon et ressentit une certaine excitation : saurait-elle vraiment le monter ? Il ne pouvait en tout cas rester plus longtemps dans la grotte. Et si elle l'emmenait à Aughnanure, elle lui trouverait au retour un refuge plus sûr où il serait libre de galoper à sa guise.

Cela paraissait pourtant impossible : comment réussirait-elle à s'absenter de la maison sans devoir tout expliquer à sa famille ?

Elle affronta de nouveau le regard embrasé de l'Espagnol.

— Je suis navrée, José. Je ne peux pas t'accompagner.

Le garçon serra les poings, et Nora eut un mouvement de recul.

— Je dois essayer de repartir, insista-t-il d'une voix basse mais résolue. Même si tu as déjà tant fait pour moi, il faut absolument que tu m'aides encore.

— Tu ne comprends pas ma situation. Je ne peux pas m'en aller plusieurs jours sans que personne ne sache où je suis !

— Tu as peur des soldats anglais ?

— Oui, mais... ce n'est pas ça... Écoute, il faut que je m'en aille. Je suis restée trop longtemps. Mon père et ma mère ignorent où je suis.

— On croirait que tu les redoutes plus que les Anglais. Est-ce que tu fais toujours ce qu'on t'ordonne, Nora ?

— Non, pas du tout ! siffla la jeune fille, piquée à vif. Je t'ai secouru, non ? Personne dans la région n'oserait défier Manannan MacLir comme je l'ai fait, et je suis venue ici avec du pain volé et du lait sain que tu ne daignes pas boire !

— Arrête-toi, arrête ! Ne parle pas si vite. Quel âge as-tu, Nora ?

— Quatorze ans, répondit-elle en hésitant.

Il avait un point rouge sur chaque joue et ses yeux étaient particulièrement brillants. Elle espérait que ce n'était pas un retour de fièvre.

— J'ai seize ans. Seulement deux de plus que toi. Je ne suis ni soldat ni marin. Mon père m'a envoyé avec l'Armada car il pensait que j'étais assez âgé pour faire fortune tout seul. On nous a promis terres et richesses si nous réussissions à rétablir la foi catholique en Angleterre. J'avais peur de voguer vers une terre inconnue où l'on nous accueillerait à coups de canons et de mousquets. Et me voilà perdu dans ton pays, plus loin du mien que je n'aurais jamais pu imaginer. Aussi dois-je retourner chez moi parce que c'est ce que mon père attend de moi. Le tien ne tiendrait-il pas à ce que tu fasses preuve du même courage ?

Son visage était pâle et sa respiration inégale, à l'issue d'un si long discours, mais il continuait à fixer Nora du regard.

— Mon père ne m'enverrait jamais loin de la maison ! répondit-elle, ne sachant que dire d'autre. Quoi que tu puisses penser de moi, je ne peux pas t'emmener à Aughnanure !

Elle saisit le bol et les seaux vides et courut hors de la grotte, sans même s'arrêter pour caresser Lir. Elle referma la barrière, puis rassembla ses jupes autour de ses genoux et traversa la plage en courant. Elle ne pouvait plus écouter les arguments de José.

De retour à la chaumière, elle s'étonna de trouver Donal Foyle en train de boire avec son père un mélange de lait et de whisky.

Tom Donovan leva la tête et lui sourit.

— Nous avons décidé que Clara et toi irez passer quelque temps à Sraith Salach. Tu pourras rester chez Fionn et Mainie, et Clara chez son cousin Ronan.

— Mais pourquoi ? s'écria Nora, en pensant à José et Lir qui dépendaient d'elle pour boire et manger.

Sa mère se retourna de la table où elle malaxait de la farine.

— On raconte que des marins espagnols ont touché terre tout le long de la côte, expliqua-t-elle doucement. On en a repéré une vingtaine dans la baie. Ce n'est pas eux que nous craignons, ce sont les soldats anglais qui vont les pourchasser à coup sûr. Clara et toi serez plus en sécurité à l'intérieur des terres.

Elle adressa à Nora un sourire peu convaincant.

— Songe comme tu seras contente de t'occuper des bébés de Mainie, ajouta-t-elle.

Nora, dominant sa frustration, lui sourit en retour. Elle aurait préféré faire face à un galion de marins espagnols avec toute l'armée anglaise à leurs trousses que se trouver enfermée dans la petite chaumière de sa sœur avec ses trois marmots brailleurs.

Tom Donovan reprit la parole, inconscient du dilemme de sa fille.

— Ronan MacNichol vient nous livrer un soc neuf ce soir et vous partirez avec lui demain dès l'aube.

— Y aura-t-il quelque chose à emporter pour Mainie ? demanda-t-elle, résignée.

— Oui, j'ai pensé que tu pourrais ramasser une bonne portion d'algues. C'est bon pour les os des enfants, et Mainie pourra économiser sur les épices qu'elle achète à Brenan Odoyne. Tiens, prends ce grand sac de toile, c'est plus léger qu'un seau pour faire le voyage.

Une idée germa soudain dans l'esprit de Nora tandis qu'elle prenait possession du sac. Peut-être ce voyage forcé la sortirait de l'impasse en lui donnant l'occasion de guider José jusqu'au château d'Aughnanure et de libérer Lir au retour !

Il lui serait facile de trouver une excuse pour fausser compagnie à ce balourd de Ronan. Pour une fois, sa réputation de fréquenter les poneys des montagnes pourrait lui servir.

De plus, la chance aidant, sa sœur Mainie ne saurait pas exactement quand elle devait arriver. Aughnanure n'était qu'à une journée de Sraith Salach à dos de cheval, et elle aurait le temps de faire l'aller-retour avant que Ronan songe à vérifier si elle était bien arrivée chez sa sœur.

« Tu ne peux pas m'accuser de manquer de courage, José Medovar ! » songea-t-elle en enroulant le sac.

— Bon, eh bien, je vais chercher les algues tout de suite, alors ?

Sa mère acquiesça et n'eut pas le temps de la remercier, car Nora était déjà sortie en courant, ses longs cheveux noirs flottant au vent.

Elle se rendit au taillis de noisetiers pour cueillir l'herbe la plus verte et la plus tendre. Elle en remplit le sac jusqu'à ce qu'il soit gonflé comme un oreiller digne d'un chef de clan, puis se précipita, le cœur battant, vers le chemin de la falaise.

Le temps pressait : elle ne partait que le lendemain, mais il lui fallait s'assurer d'abord qu'elle était capable de monter l'étalon.

Lir poussa un petit grognement de bienvenue en la voyant s'approcher.

— Je ne t'attendais pas de sitôt, lui dit José en s'asseyant prudemment sur les filets de telle sorte que sa jambe blessée se trouvât tendue devant lui.

— Nous allons à Aughnanure, déclara Nora, amusée de voir la consternation du garçon.

— Quoi ? Quand ? s'exclama-t-il.

Nora vida le sac d'herbe fraîche sur le sol et Lir se mit immédiatement à la mâcher.

— Demain.

Elle lui expliqua son intention de s'échapper comme d'habitude dans la montagne et de lui ramener Dunlin.

— Je pense que tu n'auras pas de difficulté à la monter. Quant à moi, il faut que je vérifie si je suis capable de maîtriser Lir, parce que sans lui je ne pourrai pas t'accompagner.

— Mais bien sûr, tu en es capable ! Tu crois que nous ne savons pas élever nos chevaux, en Andalousie ?

— Ce n'est pas l'Andalousie ici. Et je ne suis pas la personne qui l'a entraîné. Je n'ai ni selle ni bride. Comprendra-t-il jamais ce que j'attends de lui ?

— Tu cherches des raisons de ne pas réussir, Nora. Aie confiance ! Tu t'es déjà liée d'amitié avec l'étalon... et si ça se trouve, ajouta-t-il avec un sourire, c'est plutôt moi qui aurai du mal à monter sans selle.

Nora rassembla ses cheveux pour les nouer sur sa nuque.

— Bon. Je vais essayer de monter Lir tout de suite. Nous irons de l'autre côté de la pointe. Il n'y a pas de maisons là-bas et personne ne nous verra. Viens, Lir, tu vas enfin pouvoir te détendre les jambes.

— Bonne chance ! lança José comme ils sortaient de la grotte. Nora lui adressa pardessus l'épaule un sourire incertain.

Sous le pâle soleil matinal, Lir agita la tête et s'ébroua. La jeune fille s'agrippa à sa crinière en espérant que l'étalon, en recouvrant un semblant de liberté, ne se mette pas en tête de s'en aller définitivement.

— Doucement, Lir, murmura-t-elle en regrettant de ne pas connaître son vrai nom.

Elle le mena vers un rocher, se rendant compte de sa véritable taille. Il n'était pas question de sauter sur son dos comme avec Ballach et Dunlin. Elle grimpa sur le rocher et prit pour la première fois conscience de la largeur du dos de l'étalon.

Son courage faillit l'abandonner. C'était idiot de sa part d'espérer chevaucher une bête si noble, si superbe et si immense.

Mais Lir tourna la tête et la regarda de ses grands yeux limpides, et elle décida, ne serait-ce que pour le bien de José, de lui faire confiance. Elle rassembla ses jupes et s'élança du rocher pour retomber à califourchon sur l'étalon, dans un foisonnement de tissu et de longs crins emmêlés.

Aussitôt, Lir hennit de frayeur et se cabra.

Chapitre 15

Nora enfouit ses mains dans l'épaisse crinière et se pencha sur le garrot de l'étalon pour le forcer à reposer ses antérieurs. Le contact avec le sol fut si brutal qu'elle en perdit le souffle. Il fit volte-face et partit dans un galop effréné.

Elle serra les genoux de toutes ses forces pour tenir sur ce dos lisse et glissant comme la peau d'un phoque.

Elle se reprocha de l'avoir effarouché en lui sautant dessus si brusquement. Elle avait en effet passé plusieurs jours à accoutumer Dunlin à son poids, en se penchant progressivement en avant, comme le lui avait montré une fois son frère Sean tandis qu'il apprivoisait des poneys sauvages.

— Tout doux, Lir, tout doux, souffla-t-elle.

Mais ses mots furent happés par le vent.

Pourtant, vers le milieu de la plage, le rythme des foulées du cheval se ralentit perceptiblement. Comme il sentait que Nora restait assise sans se crisper, Lir se calma. Ses muscles se détendirent et il sembla ne plus chercher à se débarrasser de sa cavalière comme d'une mouche agaçante.

Nora se redressa tout en continuant de tenir la crinière, puis tendit les jambes vers l'avant.

C'était tout à fait différent que de chevaucher avec Dunlin ! Si la jument s'était toujours montrée infatigable, elle n'avait pas la musculature ni l'extraordinaire aisance de l'étalon.

Celui-ci avait ralenti l'allure. Du galop allongé à quatre battues, il était passé à trois. Cependant, ils approchaient vite de l'extrémité de la plage, et Nora n'avait plus assez de souffle pour lui dire de ralentir. Heureusement, à proximité des rochers, il choisit de lui-même de continuer au trot, en levant haut ses antérieurs et en agitant légèrement ses sabots à chaque pas, comme à la parade.

Enfin, il s'arrêta net et resta, jambes raides et oreilles dressées, à examiner avec curiosité la paroi de la falaise.

Sans rênes ni bride, Nora ne savait pas comment lui faire faire demi-tour. Elle se contenta donc d'attendre, en espérant qu'il décide de rebrousser chemin après s'être rendu compte qu'il ne pouvait aller plus loin.

C'est ce qu'il fit quelques minutes plus tard.

Lir longea la grève d'un pas tranquille, tête basse, sa longue queue traçant un léger sillon dans le sable. Nora tenta de s'adapter à son rythme mais continuait à être secouée à chaque pas et, une fois de plus, le doute l'envahit.

Pouvait-elle vraiment mener le cheval espagnol jusqu'au château d'Aughnanure ? Qu'importe s'il s'agissait du cheval le mieux dressé du monde, si elle était incapable de le diriger !

Ils arrivèrent très vite à hauteur de la grotte. Nora s'inquiéta alors de savoir si elle ne devrait pas sauter à terre s'il continuait à longer la plage jusqu'à la lande en passant sous la chaumière de sa famille.

Mais Lir sembla reconnaître sa demeure provisoire et s'arrêta devant l'entrée. Nora, soulagée, se laissa glisser à terre. Ses jambes tremblaient après tant d'effort, et elle s'appuya momentanément contre son encolure.

— Tu vois bien que tu es capable de le monter !

La jeune fille se retourna. José se tenait debout juste à l'entrée de la grotte, appuyé contre la paroi, levant sa jambe blessée pour ne pas l'appuyer au sol.

— Je ne suis pas sûre...

Le garçon l'interrompit d'un geste impatient.

— Tu n'es pas tombée, et vous êtes revenus. C'est assez. Nous partons demain.

Nora se hérissa. Pour qui se prenait-il, ce jeune Espagnol, à lui donner des ordres ?

Puis elle lut la douleur dans ses yeux, et sentit le souffle de Lir lui réchauffer le dos. Le garçon avait raison, elle avait réussi à galoper sans selle sur l'étalon, et puis en tirant José de la mer, elle avait seulement commencé à lui sauver la vie. Il fallait aller jusqu'au bout.

— Oui, dit-elle. Nous partons demain.

En fin de compte, il s'avéra plus facile pour Nora de se séparer de Ronan et Clara qu'elle ne l'avait cru. Ils étaient partis à l'aube, la petite charrette trop chargée de vivres et de cadeaux pour transporter plus d'une personne.

Clara s'y était installée, sans consulter personne, assise sur un seau renversé. Comme elle commençait à somnoler, Nora lui trouva une nette ressemblance avec une grosse méduse échouée sur la grève.

Ils voyagèrent en silence, Nora scrutant les collines aux abords de la forêt où, la veille au soir, elle avait repéré le troupeau de poneys. Elle se demandait avec inquiétude s'ils n'étaient pas remontés vers les sommets, quand elle aperçut un mouvement dans un creux du terrain.

Portant ses doigts à sa bouche, elle émit un sifflement strident, tirant violemment Clara de sa torpeur.

— Jésus, Marie et Joseph ! Qu'est-ce qu'il te prend ? balbutia celle-ci.

Préoccupée par son confort, elle ne remarqua pas le groupe de poneys émergeant, telles des créatures féeriques, hors de l'herbe embrumée.

Nora ne tarda pas à rejoindre Dunlin et à lui sauter sur le dos.

— On se retrouve à Sraith Salach, lança-t-elle à Ronan, qui acquiesça d'un signe de la main.

Il ne semblait pas du tout surpris que la jeune fille choisisse de voyager en compagnie des poneys, et Nora se félicita que sa réputation se soit étendue au moins jusqu'au village du forgeron.

Elle vérifia que le sac de toile était bien attaché en bandoulière sur son épaule et talonna les flancs de Dunlin, dont les oreilles frétillèrent de surprise. Il fallait lui faire comprendre qu'aujourd'hui c'était Nora qui décidait.

La jument partit au trot le long de l'orée de la forêt, le troupeau de Fiach l'accompagnant de part et d'autre. Lorsqu'une étendue d'eau argentée apparut à leur gauche, Nora se pencha de ce côté et Dunlin vira en direction de la plage.

Les poneys connaissaient bien ce chemin puisqu'ils l'empruntaient fréquemment pour venir se nourrir d'algues salées. Aussi, lorsque Fiach s'arrêta pour paître, suivi des autres, Nora poussa-t-elle Dunlin en avant vers la grotte.

José les attendait à l'entrée.

— Tu es venue, dit-il en hochant la tête, tandis que Nora glissait lestement à terre.

— Nous n'avons pas un instant à perdre, déclara la jeune fille en défaisant le sac. Les gens vont bientôt sortir au sommet de la falaise et il ne faut pas qu'on nous voie.

Elle versa une partie de l'herbe sur le sable pour Lir, et tendit le quignon de pain d'avoine à José, qui se mit à le dévorer sans manières.

— Nous trouverons plein d'eau de source dans les montagnes, et je t'ai apporté aussi cette bande de tissu pour panser ta blessure.

José leva les sourcils tout en mangeant. Nora s'approcha et s'accroupit pour enrouler le tissu autour de sa cuisse tandis qu'il restait debout. Les bords de la blessure étaient encore échauffés et enflés, et elle regrettait de ne pas avoir de la pâte verte que mélangeait Nuala.

Elle examina ensuite la blessure à l'épaule de Lir et fut rassurée de voir que la chevauchée de la veille ne l'avait pas affectée.

Rien ne les retenait plus dans la grotte.

José avait rejoint en boitant la jument qui ramassait les déchets d'algue restant du dîner de Lir. Le garçon tendit une main hésitante pour lui caresser l'épaule.

— Elle ne te fera pas de mal, lui dit Nora.

— Chez nous, nous ne montons pas sur des chevaux sauvages, lança-t-il par-dessus l'épaule.

— Alors ne la traite pas comme un être sauvage. De toute façon, il faudra que tu prennes une monture ou l'autre, et si ce n'est pas Dunlin, ce sera Lir.

— J'ai vraiment l'embarras du choix, répliqua-t-il en plaisantant.

Il était blanc comme un linge, et Nora comprit qu'il avait plus peur qu'il ne voulait le montrer.

— Tu as raison, reprit-il. Tu as prouvé que tu sais monter Lir. Je prends la jument.

— Tiens, appuie-toi sur moi, lui dit Nora en s'approchant pour l'aider à monter.

Il siffla entre ses dents en soulevant sa jambe blessée, afin de pouvoir prendre son élan avec l'autre.

— Tu es sûr que tu te sens à la hauteur de tout ça ? s'inquiéta la jeune fille.

— Forcément, murmura-t-il en saisissant la crinière de Dunlin. Il va falloir que tu m'aides encore un peu.

Il faillit perdre l'équilibre en passant sa jambe par-dessus le dos de la jument, qui, les oreilles aplaties, s'écarta sous son poids lorsqu'il réussit enfin à s'asseoir.

— Tout va bien, ma belle, murmura Nora en posant sa main sur l'encolure de Dunlin.

José jura sous cape et ferma les yeux jusqu'à ce que la jument cesse de s'agiter. Puis il les rouvrit et adressa un pâle sourire à Nora.

— Je suis prêt.

La jeune fille entra dans la cave.

— Viens mon grand, dit-elle à Lir d'une voix trop étranglée à son goût, attentive à ne pas communiquer sa nervosité aux bêtes.

Lir, pourtant, la suivit docilement et ils passèrent devant la jument et son cavalier. Celui-ci la talonna de son bon pied et ils leur emboîtèrent le pas, Dunlin semblant accepter le poids de l'inconnu.

Comme la veille, Nora grimpa sur le rocher et se souleva sur le dos de Lir, de façon moins brusque que la veille, et bien qu'il levât la tête de surprise, cette fois il ne se cabra pas. Elle regarda José par-dessus son épaule en s'efforçant de cacher le tremblement de ses mains.

— Prêt ? demanda-t-elle à voix basse de peur qu'on l'entende du haut de la falaise.

Le garçon hocha la tête, lèvres serrées, décidé à partir coûte que coûte.

Le troupeau de Fiach paissait au pied de la falaise et tous les poneys levèrent la tête pour observer avec curiosité les deux chevaux et leurs cavaliers. Nora scruta instinctivement le sommet du sentier et son cœur cessa un instant de battre.

Quelqu'un était là-haut et l'observait.

Chapitre 16

— Viens, José, vite ! s'écria-t-elle.

Leur seul espoir était de galoper le long de la rive et de profiter de l'ombre de la falaise pour mieux se dissimuler. Le jeune garçon ne devait sûrement pas comprendre son empressement soudain, mais ce n'était pas le moment de le lui expliquer. Nora talonna les flancs géants de Lir, en espérant que Dunlin suivrait.

— Allez, Lir, vite ! Je t'en supplie.

L'étalon démarra soudain, allongeant ses enjambées, ses sabots frappant le sable d'un bruit sourd, et Nora dut s'accrocher à pleines mains à sa crinière. Elle réussit à tourner la tête et vit Dunlin galoper derrière eux, José penché sur son encolure et ses jambes pendant plus bas que le ventre de la jument. Elle fit une grimace en imaginant combien il devait souffrir.

Lorsqu'ils arrivèrent à hauteur du chemin de la falaise, Nora risqua un coup d'œil vers le sommet et reconnut la silhouette de Donal Foyle, ses cheveux fous flottant au vent. Il ne l'avait sûrement pas reconnue dans l'ombre de la falaise, mais il était suffisamment au courant des naufrages de marins et de chevaux espagnols pour savoir que l'armée anglaise et Dan Devlin paieraient gros pour ces fugitifs.

Elle serra les dents et talonna Lir de plus belle. Ils traversèrent le troupeau de poneys qui s'éparpilla de tous côtés. Fiach hennit furieusement et Nora sentit Lir se raidir en reconnaissant instinctivement le défi d'un autre étalon, mais elle ne lui permit pas de ralentir.

Elle fut rassurée d'entendre dans son dos la galopade de Dunlin qui ne s'était pas laissé divertir par les siens, comme Nora l'avait craint. Elle s'aperçut en fait que José avait balancé sa bonne jambe contre les flancs de la jument. Malgré sa douleur certaine, il démontrait qu'il savait tenir bon et maîtriser sa monture.

Ils atteignirent le bout de la plage et grimpèrent sur la lande. Nora fit ralentir l'allure pour traverser l'étendue de tourbe marécageuse qui les séparait de la forêt. Pour ce faire, elle se redressa en lâchant la crinière de Lir et éloigna ses pieds de ses flancs. Aussitôt, il réagit en passant au trot.

Dunlin, plus légère, les avait dépassés, mais elle ajusta sa cadence sur celle de l'étalon et ils progressèrent côte à côte. Malgré ses efforts, José avait de la peine à rester en place.

— On est hors de danger maintenant ? demanda-t-il, ses yeux aussi écarquillés que ceux de sa monture.

— Je crois, répondit Nora. Nous passerons bientôt sous les arbres.

Elle se garda de lui dire que les gens de la région n'entraient guère dans la forêt par peur des loups. Ils pourraient donc suivre tout droit, pour un temps, la route qui menait à Sraith Salach, mais devraient ensuite emprunter à découvert des sentiers de montagne moins fréquentés.

Lir hésita à l'orée de la forêt. La lumière de l'aube n'avait pas encore percé le feuillage. Nora le laissa faire un instant puis se pencha en avant pour l'encourager à avancer en lui tapant doucement sur l'encolure.

— Tout va bien, mon grand. On peut traverser la forêt en toute sécurité, tu verras.

José, à côté d'elle, leva un sourcil interrogateur. Il y avait sûrement des loups dans les forêts d'Espagne aussi.

— Heureusement, rien ne nous effraie... dit-elle en souriant.

José hocha la tête en ricanant.

— Ce ne sont pas les dangers qui manquent, non ? Mais je sais que cette petite jument prendra soin de moi.

Sur quoi il se pencha et donna une tape sur l'encolure de Dunlin qui tourna vivement sa tête en envoyant un coup de dents à quelques centimètres de sa jambe blessée. Le garçon regarda Nora, alarmé.

— N'y fais pas attention, lui conseilla-t-elle. Dunlin ne connaît personne à part moi, et nous avons de la chance qu'elle veuille bien te porter...

Un filet de fumée attira son attention, au loin, derrière eux. Quelqu'un dans une des chaumières là-bas venait d'allumer un feu. Nora ne pensa pas que Donal Foyle choisirait de se lancer à leur poursuite, mais il les avait malheureusement vus, et il pourrait bien décrire à son père une cavalière aux longs cheveux noirs...

Ils pénétrèrent dans la forêt teintée d'orange, l'aube éclaircissant le ciel au-dessus des branches frémissantes. Nora surveillait discrètement José qui, au bout d'un moment, croisa son regard.

— Tu t'en sors bien, lui dit-elle pour l'encourager.

— En Espagne nous montons à cheval avec un...

— Avec une selle.

— Oui. Une selle. Mais je ne suis quand même pas aussi bon cavalier que mon père. Il y a peu de temps, nous nous sommes disputés violemment parce qu'il m'a surpris à me battre à l'épée avec mes cousins au lieu de cavaler le cheval qu'il m'avait acheté.

— Chevaucher, corrigea Nora en souriant. Tu n'as pas de frères ou de sœurs ?

Le garçon secoua la tête.

— Ma mère est morte quand j'étais très petit. C'est alors que ma tante et mon oncle sont venus vivre chez mon père. Ils ont deux fils, Ernesto et Jaime...

Son visage s'assombrit.

— Ils vont croire que je suis mort. Mon père en aura le cœur brisé, reprit-il.

Nora ne sut que dire. Elle l'observa tandis qu'il cahotait légèrement devant, tête baissée, et elle pria pour que Murray O'Flaherty trouve un navire qui le ramènerait chez lui.

Plus tard, lorsqu'ils approchèrent de l'orée de la forêt, Nora tenta de freiner Lir pour éviter qu'ils sortent à découvert sans s'assurer que la voie était libre.

Elle se pencha en arrière et serra les jambes pour lui opposer un semblant de résistance. Aussi fut-elle ravie de le voir frétiller les oreilles, puis progresser au pas.

Dunlin, quelques mètres devant, modéra également son allure et José se retourna.

— Où allons-nous maintenant ?

Nora remarqua que le front du garçon était luisant de sueur et qu'il respirait avec une certaine gêne.

— Est-ce que tu veux te reposer un peu ? lui demanda-t-elle, tout en sachant qu'il valait mieux gagner la montagne le plus rapidement possible.

José secoua la tête.

— Non. Nous continuons.

Nora fouilla dans le sac et arracha un morceau de pain d'avoine qu'elle lui tendit.

— Mange au moins ça.

Il prit le quignon et le mastiqua sans enthousiasme, puis il la regarda en souriant.

— Quand je serai chez moi, je ferai un festin pendant un mois entier !

— Que mangez-vous, là-bas ? lui demanda-t-elle en faisant avancer Lir hors des arbres, espérant divertir José de sorte qu'il pense moins à sa douleur.

Le sourire de José s'élargit et ses yeux brillèrent.

— Des poissons de la mer, plus longs que mon bras. Et du pain moelleux comme...

Il s'interrompit pour montrer le ciel.

— Comme les nuages ?

Il hocha la tête.

— Et puis... des... *naranjas.*

— *Naranjas* ? demanda la jeune fille, trouvant le mot étrange et un peu agressif.

— *Si*. C'est un... fruit... rond comme une balle, de la couleur du soleil, et ça pousse sur des arbres aux feuilles vert sombre ! C'est vraiment la meilleure chose à manger !

Il semblait si enthousiaste que Nora s'esclaffa. Elle se demanda quel genre de fruits pouvaient être ces *naranjas*. Rien de comparable, supposa-t-elle, aux petites pommes acides auxquelles elle était accoutumée.

Le ciel était couvert à présent, et il faisait plus froid sur la lande. Nora se reprocha de ne pas avoir apporté de couvertures.

— Il n'y a donc jamais de soleil dans ce pays ? se plaignit José, se tournant vers elle, les yeux mi-clos contre la pluie fine et glacée qui s'était mise à tomber.

— En été, si. Mais c'est l'automne maintenant.

— En Espagne, il fait beau tout le temps. Les maisons sont blanches et souvent tu ne peux pas les regarder tant elles brillent. Mais la terre est brune et sèche, pas verte comme ici.

— Et les chevaux, qu'est-ce qu'ils mangent, s'il n'y a pas d'herbe ?

— Je ne sais pas, répondit José en haussant les épaules. Ce sont les serviteurs qui s'occupent des animaux, pas moi.

— Ton père en a beaucoup, de serviteurs ?

— Bien sûr. Nous habitons dans une grande maison à côté de la mer qui est toujours bleue, pas froide et grise comme la vôtre. Il y a beaucoup de pièces, et dehors il y a des champs où mes cousins et moi nous nous entraînons à l'escrime.

Il se tut, le regard distant, et Nora commença à regretter de l'avoir encouragé à évoquer sa maison.

— La fenêtre de mon père donne sur la mer, reprit le garçon doucement. Il va être là tous les jours à espérer mon retour. Même si les gens lui disent que je suis mort, je pense que pendant longtemps il ne les croira pas.

Nora sentit son cœur sombrer à l'image de ce père qui avait déjà tant souffert de la mort de sa femme. « Je te renverrai ton fils, promit-elle en silence. Continue de guetter, il reviendra. »

Chapitre 17

Les chevaux se dirigeaient vers la montagne, tête baissée, le pas alourdi par la tourbe marécageuse de la lande. Dunlin ne semblait nullement contrariée par la présence du grand étalon gris, et Nora lui fut reconnaissante de ne pas avoir choisi de rejoindre son troupeau.

Au pied de la montagne, la jument passa en tête et emprunta un étroit sentier qui grimpait le long de la paroi rocheuse. Non loin du sommet, Nora se retourna pour observer toute la vallée qu'ils venaient de quitter, traversée d'un bout à l'autre par la route d'Errislannan à Sraith Salach.

Il n'y avait pas âme qui vive, mais elle savait qu'elle se sentirait plus en sécurité quand elle ne pourrait plus voir la piste.

Elle se laissa bercer par la lente démarche de Lir et devait même somnoler un peu quand la voix alarmée de José la fit sursauter.

— Nora ! Où sommes-nous ?

Les chevaux s'étaient arrêtés, toujours sur le sentier rocailleux, mais Nora ignorait à quelle hauteur ils se trouvaient car un épais banc de brouillard les empêchait de voir quoi que ce soit.

La jeune fille refusa de céder à la panique et songea aux recommandations du père Francis sur la manière d'agir en pareil cas : descendre vers une vallée pour sortir du nuage ou rechercher au moins des nappes moins épaisses pour ne pas risquer de culbuter dans la pente.

Or, même si elle avait pu repérer le sentier, Nora n'était pas disposée à rebrousser chemin.

— Nora ? répéta José, se penchant de-ci delà pour tenter de la voir.

— C'est du brouillard. Les nuages, tu comprends ?

— Les nuages, oui. Mais par où aller ? On ne voit pas le chemin !

Nora se mordit la lèvre. C'était stupide de sa part d'avoir entraîné José dans la montagne. Ce n'était pas sans raison qu'on avait tracé une route dans la vallée, car trop de voyageurs et de troupeaux avaient péri sur ces hauteurs.

Dunlin interrompit ces sombres pensées en s'ébrouant doucement et en s'avançant calmement. Elle posait ses sabots en toute confiance sur les pierres du sentier, et Nora, en l'entrevoyant, sentit renaître un brin d'espoir.

Bien évidemment, la jument connaissait chaque sentier de la montagne, sous la pluie, dans le brouillard et même par la nuit noire.

— Laisse Dunlin nous montrer le chemin. Nous sommes peut-être perdus, mais pas elle.

— Tu crois ça, toi ! dit José, dubitatif.

— Je t'assure, reprit Nora. Décontracte-toi et laisse-la aller. Lir suivra, j'en suis certaine.

Il s'exécuta, talonnant Dunlin légèrement de sa bonne jambe. Celle-ci secoua sa tête puis se remit en marche, ses sabots frappant les cailloux en cadence.

Nora se pencha en avant et caressa l'encolure de Lir juste sous sa crinière.

— Vas-y, mon grand. Dunlin nous sortira de là, tu verras.

Ils continuèrent à grimper dans un brouillard de plus en plus épais, si bien que Nora s'imagina surgir au-dessus des nuages sous une sorte d'étrange soleil. Mais bientôt, se sentant glisser vers la poitrine de l'étalon, elle comprit qu'ils avaient amorcé la descente.

En effet, l'herbe succéda bientôt aux pierres et la nappe de brouillard commença à s'effiler, puis Nora vit enfin une longue vallée déserte dans laquelle s'étendait un lac couleur d'étain sous le ciel gris. Elle sut alors exactement où ils se trouvaient.

Elle se laissa glisser à terre et se précipita sur Dunlin dont elle entoura l'encolure de ses bras.

— Merci, petit trésor. Merci de nous avoir guidés !

— Nous sommes sauvés, alors ? demanda José. C'est déjà Aughnanure ?

— Non, pas encore. Mais je sais où nous nous trouvons, et en nous reposant ici pour la nuit, nous atteindrons le château demain.

— Nous reposer ? Mais il n'y a pas d'endroit pour s'abriter !

— Si. Il y a une petite cabane, là-bas, expliqua Nora en désignant du doigt une petite pinède de l'autre côté de la vallée. En été, les chefs de clan envoient leurs troupeaux paître dans cette vallée, sous la surveillance des kerns qui dorment dans ces abris.

— Alors, *señora* Dunlin, allons nous reposer !

Dès qu'ils atteignirent les arbres, Nora mit pied à terre et sortit de son baluchon une corde qu'elle noua de façon à former un licou.

— Qu'est-ce que tu fais ? demanda José.

— Je dois attacher Lir pour la nuit, répondit la jeune fille en menant le cheval près de la cabane.

Elle attacha l'autre extrémité de la corde à un arbre. L'étalon baissa aussitôt la tête et se mit à savourer l'herbe fraîche du bosquet, baignée par un petit ruisseau.

— Et pour Dunlin, tu vas faire pareil ?

— Avec la jument, c'est inutile. Ces montagnes sont sa demeure. Je ne peux pas la confiner.

— Et si elle partait pour de bon ?

— Oh, il suffirait que je la siffle.

Le garçon hocha la tête, sans paraître totalement convaincu pour autant. Il ferma les yeux, et Nora lui trouva un air d'épuisement profond.

— Tu ferais bien d'entrer dans la cabane et de dormir. Crois-tu pouvoir manger ? lui demanda-t-elle en lui offrant le reste du pain et une poignée de cresson.

Il secoua la tête, les yeux toujours clos.

— De l'eau, murmura-t-il.

Nora courut vers le ruisseau, regrettant de ne pas avoir apporté un bol. Mais elle y trempa le quignon de pain, afin de nourrir un peu l'Espagnol tout en le désaltérant.

Quelque peu rassasié, José s'étendit sur la paille qui tapissait le sol de la cabane et s'endormit aussitôt. Nora le rejoignit, après avoir chuchoté une brève prière pour éloigner les fées.

Elle se réveilla transie de froid et se demanda un instant qui avait pu laisser le feu s'éteindre dans la cheminée avant de réaliser où elle se trouvait. Il faisait encore sombre dans la cabane, mais dehors l'aube pointait déjà.

Il leur fallait partir vite si elle devait accompagner le jeune Espagnol jusque chez Murray O'Flaherty et revenir chez sa sœur avant la nuit, à Sraith Salach, tout près de leur pinède.

Nora réveilla José, qui paraissait plus reposé après sa nuit de sommeil et souffrait moins de sa blessure. Par bonheur, Dunlin s'était à peine écartée, et semblait considérer temporairement Lir et les deux humains comme son troupeau.

Le temps s'avéra plus clément que la veille, et ils firent bonne route vers l'est, s'arrêtant à plusieurs reprises au bord du lac ou d'un ruisseau pour laisser boire les chevaux.

Nora cueillit quelques bottes de cresson que José mangea volontiers, tout en regrettant ses mystérieuses *naranjas*.

Enfin, ils aperçurent au loin la forêt d'ifs qui entourait le château d'Aughnanure.

— Nous y sommes presque ! annonça Nora d'une voix triomphante.

Elle se demanda ce que penseraient ses frères et sœurs s'ils savaient que leur petite Nora avait chevauché jusque chez Murray O'Flaherty avec, comme seul compagnon, un marin naufragé.

José lui sourit.

— J'entends déjà claquer les voiles qui me porteront en Espagne, s'exclama-t-il en talonnant Dunlin pour la faire partir au galop.

Lir trépigna, prêt à se lancer à la suite de la jument, mais Nora le retint un instant. Elle venait d'apercevoir une longue silhouette sombre serpentant là-bas sur la route entre Aughnanure et Sraith Salach, parallèlement à la trajectoire des jeunes gens.

Une bonne demi-lieue les séparait de la route, mais ils devaient dorénavant voyager à découvert. Or le vent apportait à l'oreille de Nora le crissement distinctif du métal contre le cuir et le fracas de sabots ferrés sur la pierre.

Elle avait déjà entendu ce bruit sur la même route, au retour de la fête au château.

C'était l'escadron de cavalerie anglaise !

Chapitre 18

— José ! Reviens !

Le garçon ne l'entendit pas, ne se retourna pas. Il continua sa course vers la forêt, penché sur l'encolure de Dunlin. De toute évidence, il n'avait pas vu la colonne sur la route en contrebas car, forcé de se méfier de n'importe qui, y compris des habitants de Galway, il se serait arrêté immédiatement.

Nora talonna Lir qui se cabra à moitié avant de démarrer comme une flèche à travers la lande.

Du coup, la jeune fille avait glissé de son dos et elle réussit tout juste à se rétablir en s'accrochant avec l'énergie du désespoir à son encolure, les crins lui fouettant le visage telles d'innombrables ronces.

Elle tenta à plusieurs reprises de crier, mais le vent la bâillonnait.

L'étalon galopait plus vite que lors de leur première course le long de la plage, quand il était encore affaibli et insuffisamment nourri, et ils eurent tôt fait de rattraper la jument.

Nora risqua un coup d'œil vers le détachement de militaires. Ils étaient sept ou huit hommes montés sur de puissants chevaux de combat, menés par un officier qu'elle reconnut grâce à sa monture, le hongre bai à la liste fine.

C'était le capitaine qu'elle avait croisé avec ses frères au retour du château, celui qui avait promis le châtiment capital à qui hébergerait ou aiderait un naufragé espagnol.

Il paraissait incroyable que les soldats n'aient pas encore repéré les jeunes gens, mais ils seraient bientôt à niveau, à peine à un quart de lieue de distance, et Nora et José seraient forcément repérés.

Nora supposa que les Anglais auraient suffisamment de bon sens pour ne pas se risquer à traverser la lande pour les rejoindre. Un lièvre sombrerait dans les tourbières trempées en bord de route, sans parler d'un cheval de combat lourdement harnaché.

Avec un peu de chance, les soldats se rendraient compte que leur seul espoir d'attraper les deux inconnus serait de suivre la route pour les rechercher dans la forêt.

Aussi le seul espoir de Nora et José était-il d'atteindre les arbres avant les Anglais et de disparaître là où seuls sévissaient les loups et les esprits des bois. La jeune fille redoutait davantage les Anglais que tous les hôtes, sauvages ou non, de la forêt irlandaise.

Elle se tourna vers José qui la regarda d'un air interrogateur, et elle comprit qu'il n'avait pas remarqué les soldats qu'elle cachait de sa vue en chevauchant à sa hauteur.

— Il faut nous réfugier dans la forêt ! souffla-t-elle.

Il fronça les sourcils devant son empressement.

Nora n'avait pas le temps de lui expliquer ce qui se passait. Un cri lui parvint de la route, suivi du piétinement de multiples sabots indiquant un brusque arrêt de l'escadron.

Elle porta le poids de son corps sur l'encolure de Lir, le pressant à accélérer en espérant que Dunlin suivrait. José poussa un cri rauque signifiant qu'il avait vu les soldats. Nora lui jeta un coup d'œil et vit que son visage était blanc comme un linge sous sa tignasse noire.

Ils traversèrent la lande au grand galop, n'osant se retourner pour voir s'ils étaient poursuivis. Nora serra les dents en pensant au sort que leur réserverait le capitaine anglais s'il les rattrapait. C'est dire combien elle fut soulagée en pénétrant dans l'obscurité du sous-bois.

José, quant à lui, continuait de talonner la jument malgré la protection des arbres. De toute évidence, il était loin de se soucier à ce moment-là des loups ou des esprits maléfiques de la forêt.

Très vite, les ronces et les buissons les forcèrent à ralentir au trot, puis au pas.

— Est-ce qu'ils vont nous suivre ? demanda José en s'essuyant le front.

Nora se retourna pour observer le plein jour au-delà de l'orée du bois. Elle ne perçut aucun mouvement, aucune silhouette ne les poursuivant l'épée au poing.

Les soldats avaient dû continuer sur la route pour tenter de les retrouver à l'intérieur de la forêt où, malgré les obstacles créés par la végétation, le sol était moins traître.

— Je ne les vois pas, répondit Nora. Mais ça ne veut pas dire qu'ils ne nous suivent pas. Nous devons rejoindre le château le plus rapidement possible. Murray O'Flaherty nous protégera.

Du moins l'espérait-elle.

En attendant, tout dépendait de son aptitude à trouver son chemin dans cette partie sombre et sans repères de la forêt.

— Tu connais le chemin ? demanda José comme s'il venait de lire ses pensées.

Nora examina les troncs des arbres pour repérer les côtés couverts de mousse, donc moins exposés au vent du nord. Le château se dressait face à un lac qu'ils n'avaient pas encore aperçu, mais elle savait qu'il s'étendait à l'est de leur position.

— C'est par là, dit-elle en pointant un doigt.

Elle fit avancer Lir au pas, en contournant les buissons de ronces et en veillant à ne pas s'écarter pour autant du bon chemin. Dunlin suivait l'étalon, tête basse d'épuisement, ses sabots frappant lourdement le sol tapissé de feuilles sèches.

José chevauchait en silence, guettant le sous-bois de part et d'autre, si bien que Nora le compara à un cerf aux abois.

Comment un garçon à peine plus âgé qu'elle pouvait-il être pourchassé comme un criminel, alors que son seul désir était de rentrer chez lui ?

Soudain, l'étalon s'arrêta net, les oreilles si dressées que les pointes se touchaient presque. Dunlin s'arrêta aussi, tout son être tendu.

— Qu'est-ce qu'il y a ? demanda José en chuchotant, et la réponse ne se fit pas attendre.

Ils entendirent des craquements de branches, le battement sourd de nombreux sabots et le cliquetis métallique de cavaliers en armes. Les soldats s'interpellaient aussi à voix basse.

— Viens, José. Vite ! chuchota Nora.

Elle poussa Lir au galop pour s'enfoncer dans les profondeurs de la forêt. L'obscurité les servait, ils avaient des chevaux rapides et, par bonheur, les Anglais n'avaient pas de chiens. Ainsi, leur proie courait encore !

Tout à coup, les voix des cavaliers anglais résonnèrent terriblement près, et Nora talonna Lir du pied droit, le faisant tourner brusquement derrière un houx au large tronc. Elle ne se soucia plus de repérer le côté couvert de mousse. Elle s'en occuperait plus tard.

Quand les voix se furent éloignées, rendant à la forêt son silence de cathédrale, les deux jeunes gens s'avancèrent de nouveau avec la plus grande prudence.

Les arbres s'interrompirent soudain sur l'espace d'une ou deux charrettes, et les sabots de leur monture sonnèrent brièvement sur de la pierre. Ils avaient traversé la route qui menait au château.

C'était la voie la plus directe pour rejoindre le domaine de Murray O'Flaherty, mais pouvaient-ils risquer de l'emprunter à découvert ? Nora se redressa sur le dos de Lir et tendit ses jambes. L'étalon s'arrêta presque aussitôt et Dunlin, en le rejoignant, l'imita.

José ouvrit la bouche pour parler, mais Nora l'arrêta d'un geste de la main et tendit l'oreille. Elle n'entendait plus d'appels aux accents anglais, ni de cliquetis de métal ou de claquements de sabots ferrés.

Les bruissements de la forêt avaient repris, confirmant à la jeune fille que les Anglais s'étaient effectivement éloignés, qu'ils ne se cachaient pas en embuscade entre ici et le château.

— Allons-y ! cria-t-elle à José.

Nora talonna Lir qui se précipita le long de la route. Pour empêcher que ses sabots résonnent sur le dallage, elle le dirigea sur le bas-côté, et José en fit autant.

Bientôt les murs du château apparurent droit devant eux, hauts et gris.

Jamais Nora ne s'était sentie si soulagée. Le pont-levis était baissé pour laisser passer un groupe de six à sept hommes, dont certains étaient à cheval.

De toute évidence, ils revenaient de la chasse. Ceux qui étaient à pied tenaient en laisse des chiens de chasse ou bien, perchés sur leur bras, des faucons à la tête masquée de cuir.

Deux autres hommes pliaient chacun sous le poids d'une dépouille de daim qu'ils portaient sur l'épaule. Il était clair que Murray O'Flaherty considérait toujours la forêt comme son terrain de chasse, non pas comme celui de la reine des Anglais.

Deux des cavaliers montaient sans selle et avec une simple bride des poneys à longs poils. Ils portaient dans le dos un arc et un carquois de flèches. L'un d'eux était le mercenaire écossais qui était tombé dans la trappe le soir de la fête.

Le troisième cavalier n'était autre que Murray O'Flaherty lui-même, entouré d'une cape bordée de fourrure, ses longs cheveux grisonnants flottant sur ses épaules. Nora n'en croyait pas sa bonne fortune de pouvoir amener ainsi le jeune Espagnol directement devant le chef de son clan.

Elle fit signe à José de rester près d'elle et passa le portail à la suite des porteurs de daims. La cour semblait grouiller de monde après la solitude du voyage, sans compter la volaille fuyant les chiens en caquetant et les vaches attroupées à la porte de la bouverie.

Personne ne s'aperçut tout d'abord de la présence des deux jeunes gens perchés sur leurs chevaux. Nora ne s'en émut pas, trop contente de se sentir enfin en sécurité une fois le portail refermé derrière eux.

Puis l'un des porteurs fit un signe à l'autre, qui appela l'un des mercenaires. Soudain, le silence tomba sur la cour tandis que toutes les têtes se tournèrent vers les nouveaux venus.

— Qui es-tu ? demanda l'homme qui avait barricadé le portail et s'était approché de Lir. Que fais-tu ici ?

Le mercenaire couleur de renard, dont Nora chercha à se souvenir du nom — était-ce Campbell ? —, la dévisagea en plissant les yeux.

— T'étais à la fête, l'autre soir, pas vrai ? lança-t-il avant de s'adresser à son chef. Seigneur, cette gamine fait partie de votre clan.

Nora se contenta de hocher brièvement la tête, trop intimidée pour répondre.

Murray O'Flaherty avança son cheval face à Lir, qu'il examina longtemps d'un regard voilé, sans rien dire. Les deux montures étaient de taille égale, mais le gris était plus musclé et plus large de poitrine, et Nora en éprouva involontairement un sentiment de fierté.

— Tu es la fille benjamine de Tom Donovan, n'est-ce pas ? demanda enfin le vieux chef en dévisageant Nora de son regard dur et sombre.

Elle avala sa salive.

— Oui, c'est ça.

Elle se souvint que le chef de clan n'avait obtenu son château que par chance et à l'issue de marchandages habiles avec les Anglais. Son terrain, auparavant, n'était guère plus grand que celui du père de Nora. Il n'y avait donc pas de quoi hésiter à lui parler et lui demander de l'aide.

— Tu as parcouru seule tout le chemin depuis Errislannan ?

Nora acquiesça de la tête.

— Avec ce jeune homme, qui ne me semble pas être du coin...

Il désigna du menton José qui semblait se faire tout petit sous tant de regards.

— Je... il... je l'ai trouvé sur la plage. Il était à bord d'un navire espagnol qui a fait naufrage.

Elle regarda autour d'elle tout en parlant, pour voir si d'autres marins espagnols se trouvaient dans la cour, mais tous les hommes présents faisaient visiblement partie du domaine du chef.

— Un marin naufragé, dis-tu ? Et tu voudrais sans doute que je l'aide ? Mais dis-moi, que me proposes-tu en échange ?

Nora se mit à trembler si fort qu'elle faillit glisser du dos de Lir, son soulagement cédant tout à coup à une crainte glaciale. Elle ne pouvait rien lui offrir à titre de paiement, O'Flaherty le savait bien !

C'est alors que José intervint, faisant avancer Dunlin pour se placer devant le chef de clan irlandais.

— Je m'appelle José Sebastián Medovar, fils de don Pedro Sebastián Medovar, seigneur d'Andalousie. Quelle que soit la somme que vous exigerez en échange de mon retour en Espagne, mon père vous paiera, foi de gentilhomme.

Un murmure traversa l'assistance comme le vent dans les feuilles.

— Il parle notre langue, ma parole ! s'exclama l'un des porteurs.

Leur chef, en revanche, ne montra pas la moindre surprise. Il leva une main pour imposer le silence.

— Ce sont là de nobles mots, mon ami, mais pourquoi devrais-je me fier à tes vaines promesses ? Nous ne nous connaissons pas depuis très longtemps, après tout.

Murray O'Flaherty s'exprimait calmement, comme s'il négociait le prix d'une barrique de vin. Il fit un geste vers la salle de banquet, dont la porte était close, un homme en armes stationné devant.

— Tes compatriotes ont débarqué avec des joyaux et des pièces d'or, qui m'aideront à payer leur voyage.

Nora eut un soubresaut d'espoir. Ainsi, O'Flaherty abritait effectivement des marins espagnols. Plusieurs, apparemment.

— Je n'ai pas d'or, répliqua José. Le peu que j'avais, je l'ai perdu en mer.

Le vieux chef de clan fronça les sourcils.

— Si je trouvais un navire pour te ramener en Espagne, je courrais un grand danger, en exposant toute ma famille à la vengeance de l'occupant. C'est pour cela que j'ai besoin d'être payé maintenant, et non par une simple promesse.

— Mais vous voyez bien que nous n'avons rien ! s'écria Nora, incapable de taire sa frustration plus longtemps.

Elle sentit aussitôt son visage s'empourprer et baissa les yeux, s'attendant à ce que l'un des mercenaires la réprimande pour son manque de courtoisie. Mais à sa grande surprise, le silence régna sur l'assemblée, et en relevant la tête, elle s'aperçut que Murray O'Flaherty la regardait en souriant.

— Je ne dirais pas que tu n'as rien, ma fille. Je vois là un étalon qui dépasse en force et en beauté tous les poneys de la montagne que tu aies jamais apprivoisés. Je parie en fait qu'il vient de bien plus loin que les rives du Connemara. N'est-ce pas ?

Il conclut sans attendre de réponse.

— Je prendrai l'étalon en échange du salut de ce garçon. C'est ma seule condition.

Chapitre 19

« Tu ne peux pas ! Il est à moi ! » voulut crier Nora, serrant instinctivement les genoux sur les flancs de Lir, qui tourna la tête pour lui frotter la jambe.

Elle se souvint de la première fois qu'elle avait vu l'étalon, persuadée qu'il appartenait à Manannan MacLir, puis de leur première chevauchée sur la plage quand elle faillit tomber en découvrant sa si puissante foulée.

Ils avaient appris à se connaître pendant le long voyage depuis Errislannan, si bien qu'il lui semblait que les jambes de Lir étaient l'extension d'elle-même, et qu'elle pourrait le guider par les sentiers les plus escarpés d'une simple pression du pied ou du genou.

Nora regarda José, pâle et recroquevillé sur la jument, le regard rendu vague de désespoir, et elle sut qu'il lui fallait abandonner l'étalon si elle voulait que le malheureux puisse retourner chez lui. Elle l'avait sauvé des vagues, elle ne pouvait pas lui faire défaut maintenant.

Et puis si elle rejetait la demande de Murray O'Flaherty, il les renverrait dans la forêt où les guetteraient les soldats anglais.

José se pencha vers elle et posa la main sur la sienne.

— Tu ne dois pas accepter, Nonita, murmura-t-il.

Elle fut touchée par le surnom affectueux qu'il utilisa, à l'instar des pêcheurs de harengs en d'autres temps.

— Si, il le faut, rétorqua Nora, en passant une jambe par-dessus le dos de Lir pour sauter au sol.

Sur un signe de la main du chef de clan, un serviteur s'approcha de Lir et lui passa un licou autour de l'encolure. La jeune fille eut du mal à retenir ses larmes en voyant l'étalon partir d'un pas lourd d'épuisement. Sa robe était maculée d'écume et de boue, mais elle n'avait jamais vu de sa vie un cheval si magnifique.

Elle espérait que Murray O'Flaherty apprécierait le fait qu'il possédait dorénavant le plus bel étalon de la région, voire de l'Irlande entière.

José avait mis pied à terre et s'approchait d'elle.

— Je suis désolé, Nora. Je ne voulais pas ça, je te jure.

Elle ne répondit pas, de peur d'éclater en sanglots, et se contenta de secouer la tête.

— Emmenez-le dans la salle des banquets, avec les autres, ordonna O'Flaherty, du haut de son cheval.

José s'apprêtait à dire quelque chose à Nora et lui tendait la main quand deux kerns le prirent chacun par un bras pour l'emmener. Le jeune Espagnol, surpris, tenta de se dégager, mais ils resserrèrent si fort leur étreinte qu'il grimaça de douleur.

— Attendez ! s'écria Nora. Qu'est-ce que vous faites ? Pourquoi le traitez-vous comme un prisonnier ?

Elle s'approcha du premier homme, mais une poigne de fer l'arrêta.

— Ils ne lui feront aucun mal, petite dame, grogna avec son fort accent le mercenaire rouquin à la pelisse de renard. Il faut simplement qu'il reste hors de vue avec les autres, jusqu'à ce qu'un navire vienne les chercher.

Nora regarda s'éloigner son protégé tandis que le vieux chef fit avancer sa monture jusqu'à la herse d'accès au manoir, au-delà de la rivière qui s'écoulait sous la salle des banquets.

— Tu viens, Alaric ? demanda le portier qui suivait à pied le maître des lieux.

Le mercenaire écossais acquiesça d'un signe de tête et lâcha l'épaule de Nora.

— Que Dieu te garde, gamine. Cette petite jument a l'air assez maline pour t'emmener à bon port.

— Oui, c'est vrai, reconnut Nora.

Mais ses pensées étaient ailleurs.

Lorsqu'elle se retrouva sur le dos de Dunlin, la jeune fille eut l'impression, après avoir chevauché Lir, qu'elle pourrait presque joindre ses pieds sous le ventre de la jument. Elle caressa son encolure si familière, et le poney dressa les oreilles en signe de reconnaissance.

— Allons-y, ma jolie. Tout ira bien à présent.

Ses mots semblaient vides. Si elle aimait toujours autant Dunlin, son cœur manquait de se briser à la pensée d'avoir abandonné Lir à son chef qui ne manquerait pas de l'exhiber lors de ses querelles avec les clans voisins.

— Nora Donovan ? Que diable fais-tu ici ?

Ken Foyle l'interpellait du haut de la tour de garde comme elle franchissait le portail. Trop lasse pour s'expliquer, la jeune fille supposa que le fils de Donal Foyle serait vite informé de sa transaction avec Murray O'Flaherty.

— Bonsoir Ken ! Je repars vers Sraith Salach. Que Dieu te protège !

— Attends, Nora.

Elle ignora son appel déjà lointain.

Passé la forêt, Nora croisa l'escadron anglais. Les cavaliers avaient mis pied à terre pour faire boire leur monture dans un ruisseau en bord de route. Les visages cramoisis et les vêtements en désordre témoignaient de leur cavalcade dans les sous-bois.

Nora, triste et lasse, ne ressentit aucune crainte maintenant que José était à l'abri. Les soldats ne pouvaient guère la reconnaître, étant donné la distance qui les avait séparés.

Cependant, le capitaine l'observa longuement comme elle passait devant lui.

— Stop ! cria-t-il. Tu n'aurais pas vu un grand cheval blanc, par hasard ?

Il lui parlait en irlandais, avec un mauvais accent. Nora le fixa, ouvrant de grands yeux effarouchés, tout à coup certaine d'avoir été reconnue.

Un autre militaire s'approcha du capitaine, venant sans le savoir au secours de la jeune fille.

— Ce n'est pas la peine de lui demander quoi que ce soit, Peter, dit-il en anglais. Regarde-la, c'est une gamine ! Tu n'en obtiendras rien. Et puis, si c'est vraiment un Espagnol qu'on a vu, il se sera égaré dans la forêt à cette heure. Tu ne crois pas qu'il pourrait s'être réfugié chez O'Flaherty ?

Le capitaine secoua la tête.

— Je t'ai déjà dit que Murray O'Flaherty sait à quoi s'en tenir. Jamais il ne serait assez idiot pour aider ces chiens d'Espagnols, au risque de perdre son précieux château.

Nora avait pratiquement tout compris et, malgré sa peur, elle sourit intérieurement. Comment ces porcs d'Anglais pouvaient-ils croire que son chef de clan se laisserait acheter pour le prix d'un château fort ?

Le capitaine sembla se rappeler soudain la présence de Nora et lui fit signe, d'un geste impatient, de poursuivre son chemin. Elle fit partir Dunlin au trot, étouffant l'envie de hurler à la fois son soulagement d'échapper de si près aux soldats anglais et sa peine de devoir s'éloigner d'Aughnanure, de José et de Lir.

La nuit tombait quand Nora atteignit Sraith Salach. Épuisée et somnolente, elle avait manqué à plusieurs reprises de glisser du dos de Dunlin. Aussi s'approcha-t-elle le plus possible de la chaumière de Fionn MacGowan avant de descendre, de peur de ne plus pouvoir marcher.

Elle caressa longuement Dunlin en la remerciant tendrement de sa gentillesse et de sa fidélité. La jument souffla doucement dans les cheveux de la jeune fille, puis se détourna pour s'éloigner au trot.

Mainie accueillit sa petite sœur avec le même air distrait dont elle avait fait preuve lors de la dernière visite de Nora. Celle-ci fut heureuse d'apprendre que le forgeron n'avait pas encore livré la barrique d'huîtres que ses parents avaient envoyée à Fionn et Mainie. De ce fait, ils ne savaient pas qu'elle aurait dû les rejoindre la veille.

Elle trouva sa sœur d'une maigreur inquiétante, tant elle était exténuée sans doute par l'énergie de ses trois enfants et le poids des travaux ménagers. Aussi Nora se promit-elle de l'aider le plus possible pendant son séjour.

Ainsi occupée, elle ne songerait pas autant à José et à Lir, et s'inquiéterait moins de savoir si Murray O'Flaherty tiendrait sa promesse de renvoyer le garçon en Espagne... ou bien si elle s'était séparée de Lir pour rien.

Deux jours après son arrivée, Nora ramenait à la chaumière le seau de lait qu'elle venait de traire quand un attroupement devant la forge de Ronan attira son attention. Elle s'étonna de voir tant de monde rassemblé dehors malgré la pluie.

— Devine qui est là ! s'exclama Mainie, qui nourrissait son dernier-né lorsque Nora entra dans la chaumière.

Sa sœur semblait déjà moins fatiguée, et Nora supposa que c'était à son tour d'avoir des poches sous les yeux et les traits tirés.

— Brenan Odoyne ! annonça sa sœur lorsque Nora eut haussé les épaules.

C'était surprenant, en effet. La fête avait eu lieu deux semaines plus tôt seulement, ce qui avait accordé peu de temps au colporteur pour se réapprovisionner avant d'entamer sa tournée des hameaux du comté de Galway.

— Veux-tu que j'aille voir à la forge ce qu'il vend cette fois ?

— S'il te plaît. J'irai aussi, dès que ce jeune homme aura fini, mais s'il avait de ce poivre qu'Ann lui avait acheté la dernière fois, je ne voudrais pas rater l'occasion.

À la forge, il sembla à Nora que le village entier était présent. Il y avait non seulement les femmes, mais des hommes aussi. Comme de coutume, le marchand ambulant apportait plus que des épices et des tissus. Tout le monde venait aux nouvelles et voulait savoir si les Anglais avaient capturé des marins espagnols.

— Il semblerait qu'un certain chef de clan soit en train de faciliter la chasse aux Espagnols pour ces cochons d'Anglais, disait Brenan Odoyne comme Nora se frayait un chemin dans la foule.

— Qu'est-ce que tu veux dire par là ? demanda quelqu'un.

— Ce n'est pas un secret, expliqua le colporteur, une lueur cynique dans le regard. Murray O'Flaherty a engrangé des Espagnols qu'il s'apprêtait à expédier chez eux par un de ces navires porteurs de vin qui mouillent à l'embouchure de sa précieuse rivière. Mais les soldats anglais en ont eu vent, et sir Richard Bingham a sommé O'Flaherty de les livrer tous, sous peine de voir son château assailli par l'armée anglaise. Ainsi, les Espagnols d'Aughnanure feront bien un voyage... mais seulement jusqu'à Galway, où ils seront pendus haut et court !

Nora s'enfuit de la forge, fendant aveuglément la foule. Comme d'habitude, elle s'était montrée aussi perspicace qu'une motte de tourbe. Personne d'autre n'aurait été assez bête pour faire confiance à Murray O'Flaherty. Comment avait-elle pu prétendre sauver José quand toute l'armée anglaise était aux abois ?

José allait mourir, et malgré tous les efforts de Nora, Manannan MacLir aurait enfin son âme.

Chapitre 20

Tête baissée, la vue obstruée par les larmes et la pluie, Nora passa droit devant la chaumière de Mainie et se dirigea vers les montagnes qui s'élevaient en pente raide au-delà du village. Elle avait besoin de retrouver la chaleureuse affection, simple et désintéressée, de Dunlin.

Au détour du chemin qui grimpait sur le flanc de la première colline, elle rencontra le père Francis qui s'approchait à grands pas avec son bâton de pèlerin et sa fidèle corneille perchée sur l'épaule.

— Bonjour Nora, lança-t-il. J'ai appris que tu étais chez ta sœur Mainie. Comment va-t-elle ? Et comment se porte son bébé ?

Nora regarda ses mains, pour ne pas montrer au prêtre ses yeux rougis et son visage boursouflé.

— Ils vont bien assurément, mon père. Merci.

L'homme posa sa main sur le bras de la jeune fille qui se garda de reculer.

— Il y a quelque chose qui ne va pas, Nora ? demanda-t-il d'une voix douce.

— Non, mon père. Tout va bien. Je suis simplement un peu fatiguée de m'être occupée des enfants, c'est tout.

Le religieux hocha la tête.

— Je comprends. Avec trois bambins si jeunes, on n'a guère le temps de s'ennuyer. Dis-moi, est-ce que Brenan Odoyne est passé au village, ce matin ?

— Oui. Il était à la forge de Ronan MacNichol quand je suis partie.

La gorge nouée, Nora imagina les Anglais en train de défoncer la porte de la salle des banquets et d'emmener comme des bêtes les naufragés terrifiés. « Je suis si désolée, José ! » songea-t-elle.

— Alors tu seras au courant des dernières nouvelles du château d'Aughnanure ?

— Quoi ! cracha Nora, surprise par l'amertume de son ton. Que Murray O'Flaherty a affirmé encore sa soumission à la reine des Anglais ?

Le prêtre leva les sourcils.

— Note bien que c'est aux Espagnols qu'il fait du tort, cette fois.

— Il n'empêche que les Anglais sont nos ennemis à nous aussi !

— Le monde des chefs de clan est plus complexe que toi ou moi nous pouvons l'imaginer, expliqua calmement le père Francis. Nous pouvons rendre grâce au Seigneur de ne pas endurer les responsabilités de Murray. On pourrait arguer qu'il ne trahissait pas les marins espagnols autant qu'il protégeait sa famille et les siens, et son clan tout entier. Pourquoi risquerait-il la vie de ceux qu'il aime pour quelques naufragés venus d'ailleurs ?

« Parce que je l'ai fait, moi ! aurait voulu crier Nora. J'ai défié Manannan MacLir, j'ai été pourchassée par les Anglais, et j'ai abandonné Lir, tout ça pour sauver un garçon inconnu ! »

Le père Francis fut sensible au désespoir qu'il lisait sur le visage de sa jeune paroissienne.

— Je suis pris de pitié bien autant que toi, Nora, dit-il d'une voix grave. Je dirai une messe demain, en faveur des âmes de ces malheureux.

— Demain ?

Le prêtre hocha la tête.

— J'ai ouï dire que des soldats entreront dans Aughnanure au lever du jour, quand des renforts arriveront de Dublin. Il semblerait que le capitaine Money pense qu'il lui faudra plus d'une demi-douzaine d'hommes pour s'occuper d'une poignée d'Espagnols à demi noyés.

Nora perçut à peine l'ironie dans les paroles du prêtre. Son esprit était ailleurs, planant sur les ailes de l'espoir. Si José était encore à Aughnanure, elle pourrait le libérer avant l'arrivée des soldats !

Une voix silencieuse, celle de la sagesse, demandait à savoir comment un brin de fille comme elle pouvait pénétrer dans un château si bien gardé et s'enfuir en compagnie d'un marin blessé, dont la tête était mise à prix.

« Parce que je ne franchirai ni le portail ni les murs », répondit de même la voix de la passion, celle de Nora. Elle se souvenait du puits sous la salle des banquets, dans lequel l'Écossais rouquin avait été précipité.

C'est par là qu'elle accéderait à la salle, par la trappe sous laquelle, avec un peu de chance, la corde qui avait servi à repêcher le mercenaire était restée coincée. Ainsi, José pourrait sortir par le même chemin.

— Que Dieu te garde, Nora, lança le prêtre en commençant à descendre le chemin qui menait à Sraith Salach. Sois prudente aujourd'hui, dans la montagne. Il me semble que cette pluie n'est pas près de se lever.

— Oui, mon père. Je ferai très attention. Je te le promets.

Nora attendit qu'il disparaisse autour du flanc de la colline, puis plaça ses doigts entre ses dents et siffla très fort. Elle se trouvait loin du territoire habituel de Fiach, mais elle avait aperçu son troupeau la veille, paissant à l'autre extrémité du lac.

Elle attendit une réaction, mais en vain.

Alors elle rassembla ses jupes et grimpa plus haut dans la montagne. Elle était presque au sommet lorsqu'elle s'arrêta pour recouvrer son souffle et siffler à nouveau.

Le son strident se répercuta en échos multiples entre les cimes et dans les vallées environnantes, avant d'être absorbé par l'herbe, la tourbe et l'eau scintillante du lac. Nora resta à l'écoute, mais n'entendit qu'un meuglement étouffé dans le lointain.

Désespérée de devoir abandonner sa folle intention de défier le sort, la jeune fille commença à rebrousser chemin en direction de la chaumière de Fionn et Mainie.

Soudain, le sol vibra sous ses pieds et le son d'une galopade lui parvint presque au même instant, puis Dunlin apparut par-dessus une petite crête toute proche et vint glisser à l'arrêt.

— Te voilà ! s'écria Nora en trempant sa chemise contre l'encolure baignée de pluie et en pressant son visage dans la fourrure toute chaude.

Son cœur se mit à battre plus fort à la pensée qu'elle avait maintenant le moyen d'agir.

Tandis qu'elle enfourchait la jument, elle évalua les risques qu'elle courait : être capturée par les Anglais ou trahie par ceux de son clan, jetée en prison ou même partager le sort des marins espagnols, pour l'exemple.

Puis elle se rappela le visage épanoui de José quand il parlait de son pays, et décida fermement d'affronter tous les dangers pour qu'il retrouve le soleil espagnol et goûte à nouveau ses fameuses *naranjas*.

Manannan MacLir n'avait pas encore gagné !

Elle lança Dunlin au petit galop, car elle prévoyait d'atteindre le château au crépuscule seulement. La nuit la cacherait mieux, bien sûr, mais elle avait besoin d'un restant de lumière pour longer la rivière souterraine.

Fionn et Mainie s'inquiéteraient sans doute de son absence, mais Nora espérait que le père Francis leur aurait fait part de leur rencontre sur le sentier de montagne, et qu'ils en déduiraient que, surprise par la nuit, elle était restée avec ses chers poneys.

Arrivée le soir à la forêt d'ifs, elle décida qu'il valait mieux affronter encore le sous-bois qu'emprunter la route, moyen pourtant plus rapide pour atteindre les murs du château.

Or trop de gens l'avaient vue conduire le jeune Espagnol devant le maître des lieux, et Nora ne tenait pas à éveiller leur curiosité en se montrant une seconde fois dans les parages.

La traversée de la forêt lui sembla interminable par rapport à la dernière fois où, en compagnie de José, elle avait fui au galop la patrouille anglaise.

Chaque mouvement dans les buissons, chaque cri d'animal la faisaient sursauter et guetter autour d'elle avec méfiance.

Soudain, Dunlin s'arrêta si brusquement que Nora glissa en avant sur son échine. La nuit était tombée, et elle ne savait ni où elle se trouvait ni pourquoi la jument avait fait halte.

Puis, petit à petit, elle entendit le bruissement et le clapotis d'un cours d'eau, et sa vision s'habitua bientôt à l'obscurité.

Sur l'autre berge de la rivière, faiblement éclairée par un mince croissant de lune, s'élevait la haute muraille du château d'Aughnanure. Nora leva la tête et vit les fenêtres éclairées par la lueur dansante des flambeaux.

À sa gauche, un pont de bois enjambait la rivière devant le portail clos. La jeune fille devait donc se porter en aval, où le courant s'engouffrait sous une arche de pierre, mais il faisait trop sombre à cette heure pour nager dans le caveau sous la salle des banquets. Il lui fallait patienter jusqu'à l'aube pour y accéder.

— Viens, ma belle, dit-elle à Dunlin en lui frottant les oreilles, on va s'installer pour la nuit.

Nora mena la jument un peu en retrait dans la forêt et choisit un fourré de fougères en guise de lit. Puis elle s'enroula dans sa cape, en s'efforçant d'ignorer la faim et la peur qui lui tenaillaient le ventre.

Sentant les naseaux de Dunlin humer ses cheveux, elle tendit la main et lui gratta le chanfrein. Elle espéra que la méfiance de la forêt empêcherait la bonne bête de s'éloigner.

Puis, pour écarter ses craintes, elle songea au garçon qui attendait tout près, de l'autre côté du mur, qu'un navire l'emmène chez lui, ignorant totalement le sort que lui réservait le lendemain, à moins que Nora ne réussisse à le secourir.

Chapitre 21

La jeune fille se réveilla en sursaut à chaque bruissement de la forêt. Dunlin ne s'était éloignée que de quelques pas, fouillant les fougères séchées à la recherche de quelques brins d'herbe tendre.

Nora se leva enfin, abandonnant tout espoir de sommeil. Elle tapa des pieds et battit les bras pour se réchauffer, puis s'approcha de la berge. Malgré le ciel d'un gris de plomb, elle voyait clairement, à présent, le flot rapide de l'eau depuis le pont de bois jusqu'à l'arche de pierre.

La demeure de Murray O'Flaherty baignait dans ce bref répit de silence entre la fin des jeux de dés des mercenaires et l'éveil des domestiques.

Nora retira sa cape, la roula et la dissimula sous un arbre. Elle jeta un coup d'œil à sa robe et se demanda si elle ne ferait pas mieux de nager en chemise. Mais tout compte fait, elle préférait retrouver José modestement vêtue qu'à demi nue.

Elle regarda Dunlin, qui l'observait en mâchonnant. Elle savait qu'elle ne pouvait pas l'obliger à rester ; même si elle avait apporté une corde, l'attacher aurait été hors de question.

Soudain, un coq s'égosilla de l'autre côté des murs, rappelant à Nora l'urgence de sa mission.

Elle s'accrocha à une branche et se laissa glisser dans l'eau, qui s'avéra être plus froide qu'elle n'avait jamais imaginé, plus froide encore que la mer en hiver ou que les glaçons qui pendaient au bord du toit. Elle crut ne plus pouvoir respirer, mais s'efforça de nager coûte que coûte, pensant tout à la fois à José et à l'officier blond de l'escadron anglais.

Nora atteignit l'arche sous laquelle s'engouffrait la rivière. Elle n'y voyait rien, au point de devoir ciller pour s'assurer qu'elle avait les yeux ouverts. Elle avait trop froid pour céder à la peur, et pourtant, en touchant des doigts la roche vaseuse, elle manqua de céder à la panique, se voyant emprisonnée vivante dans ce caveau, condamnée à ne plus jamais revoir la lumière du jour.

Elle devait être près de la courbe de la rivière qui se trouvait sous le puits. Les mains contre la paroi rocheuse, elle progressa à tâtons.

Soudain, quelque chose de lourd et humide la frappa au visage. Elle hurla de peur et s'étrangla en avalant de travers une grosse gorgée d'eau. Pour ne pas se laisser entraîner sous la surface, toussant et crachant, elle empoigna ce qui l'avait touchée et comprit aussitôt ce que c'était.

Elle s'agrippait à la corde qui avait servi à repêcher le mercenaire écossais et qui restait coincée, comme Nora l'avait espéré, sous la dalle de la salle des banquets.

Elle se hissa des deux mains en prenant appui sur la roche avec les pieds. Sa jupe empesait ses jambes et s'égouttait si bruyamment qu'elle craignit qu'un garde ne l'entende au-dessus et n'ouvre la trappe.

La jeune fille grimpa lentement, entourant la corde de ses jambes pour lui permettre de récupérer ses forces entre deux tractions des bras. Ses mains lui brûlaient, mais elle avait trop froid pour s'en soucier.

Il lui semblait qu'elle s'élevait depuis trop longtemps dans une noirceur éternelle quand sa main frôla une étroite barre de bois. Nora l'explora prudemment du bout des doigts. La barre partait en oblique de la paroi rocheuse à la trappe, juste au-dessus de sa tête !

Elle noua ses jambes autour de la corde et toucha le bloc de pierre glacé. Un courant d'air passait par les bords, sauf sur le côté supporté par la barre, bloqué par une latte de bois. Nora essaya de tirer sur celle-ci, mais sans résultat.

Elle redoubla d'effort, refusant l'échec après tant d'épreuves, et soudain la dalle tomba d'un côté, frôlant sa tête.

Au même instant, la corde tomba dans le vide sous ses pieds, et Nora eut juste le temps de s'agripper sur le bord !

Elle entendit la corde frapper l'eau au fond du puits et resta suspendue, prête à tout lâcher. Son seul moyen de sortir venait de lui échapper.

Elle respira longuement, cherchant à récupérer son souffle. Puis, avec l'énergie du désespoir, en se poussant avec les pieds le long de la paroi, elle se hissa hors du trou, posa ses coudes sur le rebord et se souleva, bras tendus, pour s'allonger à mi-corps sur le sol de la salle des banquets.

Après quelques minutes, elle leva la tête et vit dans la pénombre une bonne vingtaine d'hommes étendus sur un tapis de joncs à l'autre bout de la salle.

La jeune fille se demanda alors comment attirer l'attention de José sans éveiller celle des autres marins naufragés.

Un chien aboya dans la cour, et l'un des kerns lui cria de se taire.

Quelques-uns des hommes se levèrent et se dirigèrent vers la porte d'où ils appelèrent l'homme dans un espagnol guttural, que Nora comprenait mal. Ils parlaient sans s'alarmer de nourriture et de navires. De toute évidence, ils ignoraient encore le sort qui les attendait.

Puis l'un d'eux aperçut la jeune fille et les hommes se tournèrent tous. Ils restèrent figés un instant, incrédules, jusqu'à ce que l'un d'eux s'avance et l'interpelle.

— Nora ! Que diable fais-tu ici ?

Avec un bel ensemble, ses compagnons tournèrent la tête vers José, qui les ignora et accourut vers Nora. Il s'agenouilla et la saisit par le coude pour l'aider à se lever.

— Où... comment... pourquoi ? bredouilla-t-il en espagnol.

La jeune fille le regarda et s'aperçut que Murray O'Flaherty avait dû au moins nourrir ces hommes convenablement, car José semblait en bien meilleure forme physique.

— Je viens te sortir de là, balbutia-t-elle, la gorge encore endolorie par l'eau qui avait failli l'étouffer.

José fronça les sourcils.

— Qu'est-ce que tu racontes ? s'exclama-t-il en irlandais. Nous attendons qu'un bateau vienne d'Espagne.

— Écoute-moi ! Il n'y a pas de navire. Murray vous a menti. Il faut trouver tout de suite le moyen de partir ! Je n'ai pas le temps de t'expliquer.

Les hommes restés près de la porte commençaient à murmurer. S'ils ne comprenaient pas ses paroles, ils percevaient l'alarme dans sa voix.

Dehors, le chien recommença à aboyer, suivi par ses compagnons, et au-dessus du tintamarre, des coups retentirent contre le portail et une voix lointaine appela en anglais.

Nora regarda José avec désarroi. Les soldats étaient déjà là. Elle était arrivée trop tard !

Chapitre 22

— Ce sont les Anglais ? chuchota José, les yeux exorbités d'horreur.

Nora hocha la tête.

— Murray ne s'opposera pas à ce qu'ils vous emmènent, ils menacent sinon d'attaquer son château.

— Mais le bateau !... Il a accepté l'or des autres hommes, il a promis...

Ses paroles s'estompèrent, et il parut très jeune et confus.

— Je suis tellement navrée, gémit Nora, des larmes de colère lui montant aux yeux. J'étais loin de me douter qu'on en arriverait là !

Tant d'efforts pour rien, et maintenant elle allait tomber elle aussi entre les mains des militaires. Le regard de José se durcit et il lui prit la main.

— Ils ne nous ont pas encore pris, Nonita. Nous pouvons leur échapper.

— Mais comment ? La corde est tombée dans la rivière, nous ne pouvons pas sortir par la trappe.

Elle vit par une fenêtre des domestiques et des kerns courir vers le portail pour aider à l'ouvrir.

— Tu connais des gens ici, tu m'avais dit ? demanda le garçon.

Nora acquiesça de la tête.

— Alors, reprit-il, si nous pouvons sortir d'ici, ils nous aideront à quitter le château, non ?

La jeune fille eut un instant d'incertitude. La seule personne qu'elle connaissait, c'était Ken Foyle, et elle ignorait où le trouver. Mais José l'entraînait déjà vers les fenêtres du mur opposé.

— Regarde ! ordonna José en retirant la peau de bête qui recouvrait les vitres.

Nora se pencha dehors. Il y avait un espace étroit entre la salle des banquets et le mur extérieur, et juste en dessous d'elle, un petit toit de chaume accolé au mur protégeait les chevaux de Murray O'Flaherty.

Son cœur fit un bond lorsqu'elle vit dépasser une large croupe grise, dotée d'une longue queue couleur d'écume.

— Lir, affirma José à ses côtés, un léger sourire illuminant son visage. Je l'ai surveillé pour toi, et il a été bien nourri. Mais il n'est pas très apprécié : il a donné un coup de sabot à un serviteur, hier, et l'a fait tomber à terre.

— Nous allons l'emmener avec nous, déclara tout à coup Nora.

José en fut interloqué.

— Mais comment ? Ce sera déjà assez difficile de sortir d'ici tous les deux seuls.

— Je ne sais pas...

Elle fut interrompue par le fracas de la porte que l'on ouvrait brusquement et le piétinement des hommes battant en retraite sur le tapis de joncs.

José poussa Nora derrière lui et se tint dos au mur.

— Ne bouge pas, lui souffla-t-il du coin des lèvres.

Nora, tremblante, entendit les Espagnols crier leur surprise, puis leur colère, tandis que les Anglais les forçaient à sortir. La salle résonnait des clameurs en espagnol, en irlandais et en anglais, sur fond d'aboiements de chiens, de cris de femmes et de hurlements d'enfants provenant de la cour.

De toute évidence, les marins avaient compris ce qui se passait, car un ordre terrible résonna dans la cour.

— Abattez-le !

Un coup de mousquet claqua dehors, et dans le silence qui suivit, Nora entendit José marmonner : « *Madre de Dios. Madre de Dios. Madre de Dios.* »

Les marins espagnols se remirent à crier, non plus d'indignation, mais de peur et de supplication tandis qu'on les poussait hors de la salle.

José tendit le bras derrière lui et tira Nora le long du mur.

— Continue d'avancer en te serrant contre moi, murmura-t-il.

Nora obéit en le suivant tête baissée, et en espérant que ses cheveux plaqués contre son crâne la fassent passer pour un homme, sa jupe cachée aussi par l'obscurité. Ils atteignirent bientôt la porte et se mêlèrent au groupe de naufragés. Nora craignit qu'on ne la dénonce en échange de liberté. Mais si les marins savaient qu'elle était parmi eux, personne n'en souffla mot.

Elle passa la porte d'un pas hésitant, et aussitôt José la poussa brutalement à gauche vers l'allée où étaient abrités les chevaux. Là, ils se trouvaient cachés de la grande cour par le groupe de marins, et quand Nora osa tourner la tête vers José, elle croisa le regard étonné de Ken Foyle, qui se trouvait juste derrière le jeune Espagnol.

Il avait l'air désemparé, et Nora fut certaine qu'il n'avait jamais pensé que les soldats anglais auraient pu tirer sans sommation sur ceux que le château avait abrités pendant plusieurs jours.

José resta figé sur place, croyant que Nora avait été repérée.

Très lentement, celle-ci glissa son regard vers les chevaux. Ken se tourna, observa brièvement la cour et hocha la tête de manière presque imperceptible. Nora saisit alors la main de José et le tira hors de vue, derrière le mur de la salle des banquets.

Sous l'auvent de chaume, les chevaux s'agitèrent, déjà effarouchés par tout le bruit de la cour qui, heureusement, étouffait le claquement des sabots contre les pavés.

Nora courut vers Lir et lui posa la main sur le chanfrein. L'étalon s'ébroua et recula, tendant son licou à l'extrême.

— Tout doux, Lir. C'est moi !

Le cheval secoua la tête et fit frétiller ses oreilles. Il avait reconnu la jeune fille.

— Le temps presse, grommela José. Ils vont nous rattraper bientôt !

— Mais on ne peut pas se cacher ici, ils nous retrouveront tout de suite !

— Pas question de se cacher, dit José d'un ton résolu. Nous allons sortir d'ici sur l'étalon.

Nora le dévisagea, se demandant s'il n'avait pas perdu l'esprit.

— Le portail est ouvert, et les soldats sont occupés à surveiller mes compagnons, argua le garçon. Une fois dans la forêt, Lir sera capable de semer n'importe quel cheval.

Il avait raison, mais pour Nora, le portail du château était beaucoup trop loin. La cour était pleine de mercenaires de Murray O'Flaherty et de soldats anglais, armés de mousquets.

— Non. C'est trop loin, rétorqua-t-elle.

José la saisit par les épaules, et approcha son visage tout près du sien.

— C'est notre seule chance !

Nora se mit à détacher le licou de l'étalon.

— Tu vas devoir m'aider à monter.

Désespérée, elle n'avait plus la force de discuter. Quoi qu'ils fassent, elle savait qu'ils seraient pris. Mais Lir réussirait peut-être, lui, à s'échapper indemne.

José la saisit par la taille et la souleva suffisamment pour enfourcher le dos de l'étalon. Puis il se hissa derrière elle, gémissant de douleur lorsqu'il porta tout son poids sur sa mauvaise jambe. Il entoura Nora de ses bras, s'agrippant d'une main à la crinière de Lir, et elle sentit son haleine tiède contre sa joue.

— Tu es très courageuse, Nonita. Merci d'être revenue uniquement pour moi. Jamais je n'oublierai ce que tu as fait. Jamais.

La jeune fille avala sa salive, incapable de parler. Elle tourna la tête pour voir une dernière fois son regard fiévreux et solennel. Elle avait l'impression que chaque battement de son cœur égrenait les dernières secondes de sa vie, et elle pria pour que la fin soit rapide.

Il hocha la tête en silence et elle serra les genoux pour guider Lir, à l'aide du licou, jusqu'à l'angle qui les dissimulait de la grande cour.

Les clameurs allaient encore bon train et les Anglais, maintenant en selle pour la plupart, semblaient avoir plus de mal à rassembler les Espagnols qu'ils n'avaient escompté.

Nora fut saisie de peur devant le nombre de soldats qui occupaient la cour, mais il était trop tard pour reculer.

La silhouette à contre-jour au bout du passage se retourna. Ce n'était pas Ken mais un soldat anglais qui, les apercevant, tira son épée en vociférant.

— *Vaya* ! hurla José, en serrant Nora à la taille et en talonnant Lir si fort que le cheval s'élança au grand galop.

La jeune fille ferma les yeux pour ne pas voir venir la lame qui devait mettre fin à ses jours. Puis elle remarqua que le martèlement des sabots s'estompa lorsqu'ils débouchèrent dans la cour, tant les clameurs et les aboiements s'amplifiaient, enrichis du hennissement des chevaux effarés et du caquètement hystérique de la volaille épouvantée.

Nora leva un instant la tête pour constater qu'ils filaient droit vers le portail, qui n'était qu'à demi fermé, et que le capitaine Money était assis sur son bai juste à côté. Il était trop loin encore pour que Nora puisse voir s'il souriait comme elle l'imaginait dans ses cauchemars, mais il dégainait en tout cas son épée en faisant faire volte-face à sa monture.

Il était impossible de freiner Lir qui, excité par le vacarme, fonçait tête baissée, ses sabots semblant ne pas toucher terre tant il était pressé de quitter ce foyer de folie.

Nora sentit José se raidir derrière elle et aperçut du coin de l'œil un soldat agenouillé qui levait contre son épaule un mousquet au long canon.

— Oh, Seigneur, non ! supplia-t-elle, sans savoir si elle avait prié en silence ou lancé les mots à voix haute.

Tout à coup, une grande silhouette brune à la tignasse rousse parut tomber du haut du chemin de ronde, les bras écartés comme pour amortir sa chute. Il heurta des pieds les épaules du soldat accroupi, le renversant à terre et envoyant son arme rouler dans la boue.

Le mercenaire ajusta sa peau de renard et leva les bras comme pour s'excuser de sa maladresse.

Il lança à Nora un regard inexpressif, puis se baissa brusquement, dégaina l'épée du soldat encore sonné et la lança en l'air du même mouvement, la poignée en avant.

À l'insu de Nora qui baissa encore davantage la tête, José attrapa l'arme au vol.

Seules quelques foulées les séparaient maintenant du portail. Lir avait bien vu le passage ouvert derrière le cheval du capitaine, mais ne laissa aucun doute sur sa détermination à passer sans ralentir.

Le capitaine leva lentement son épée, et Nora put voir qu'en effet il souriait sous son casque, comme s'il savourait la perspective de tuer deux fuyards d'un seul coup.

Terrifiée, Nora eut à peine le temps de se demander si l'Anglais la reconnaissait, ou s'il voyait qu'elle était une fille et non un prisonnier espagnol, ou bien encore si cela faisait une différence.

Lir les avait portés à hauteur de la tête du cheval de guerre, puis de son épaule, et l'épée de l'officier plana vers Nora comme l'aile d'un héron.

Et soudain, José leva le bras et le choc assourdissant des épées résonna à leurs oreilles. Lir heurta le bai et Nora aurait plongé en avant si José ne l'avait pas retenue de son bras libre.

En revanche, le hongre du capitaine, ayant mal jugé la puissance de l'étalon lancé au galop, trébucha de côté, manquant de désarçonner son cavalier qui réussit tout juste à parer le second coup d'épée de José. Le militaire rugit de fureur quand son arme tomba bruyamment au sol, et Lir déboula hors des murs pour disparaître dans la forêt.

Chapitre 23

Les clameurs s'estompèrent à mesure qu'ils s'enfonçaient dans la verdure. Ils avaient quitté la route et, dans les sous-bois, Lir dut ralentir l'allure. Malgré les branches et les ronces, José continua à le talonner, tout en serrant fortement l'épée dans son poing.

— Ils vont sûrement nous poursuivre, expliqua-t-il d'une voix tendue.

Nora était trop épouvantée et épuisée pour répliquer. Elle se rendit compte, néanmoins, qu'ils passaient près de l'endroit où la rivière coulait sous l'arche. Elle se redressa et scruta la forêt.

— Dunlin m'attend peut-être ! s'écria-t-elle.

— Nous n'avons pas le temps de nous arrêter !

Il avait raison. De toute façon, la jument avait dû fuir les cris et le coup de feu à l'intérieur du château, et abandonner la forêt par peur des loups. Pourtant, Nora ne put s'empêcher de la chercher du regard dans les broussailles.

Un peu plus tard, la lande succéda aux arbres, avec les montagnes en fond. Lir ralentit et continua au pas, tête basse, son souffle maintenant poussif tant il était fourbu.

Nora passa ses doigts sur son épaule et vérifia que la blessure s'était tout à fait cicatrisée. Elle attribua sa fatigue à la soudaineté de cette course folle qui succédait à deux jours d'enfermement dans la courette. Aussi le laissa-t-elle déambuler quelque temps, ses naseaux se dilatant et se refermant tandis qu'il humait l'air.

Elle sentit José bouger, et se demanda s'il ne s'était pas endormi, affalé contre son dos. Quand elle se retourna, cependant, ses yeux étaient toujours aussi alertes et ses traits tendus. Il tenait l'épée dans sa main droite, la lame nue prudemment posée sur sa cuisse.

— Où irons-nous maintenant ? demanda-t-il d'une voix morne où sourdait le désespoir.

Nora compatit à sa misère. Ils avaient pris tant de risques pour échapper aux soldats, mais il n'en demeurait pas moins que le seul espoir de José avait reposé sur Murray O'Flaherty.

À présent, elle ne savait plus comment l'aider. Et malgré cela, il fallait s'éloigner le plus possible d'Aughnanure avant qu'on les retrouve.

— Je vais te ramener à la cabane sur le lac près de chez ma sœur, où je pourrai t'apporter de quoi manger, et après...

Le visage de José s'éclaira un instant, comme s'il s'attendait à ce que Nora lui propose une nouvelle solution. Elle en fut bouleversée.

— ... après, j'essaierai de trouver quelqu'un d'autre susceptible de t'aider.

Le garçon hocha la tête sans rien dire, et Nora fit repartir Lir au trot à travers les marais. Elle sentit la tête de José se poser sur son épaule, son corps balançant au rythme des foulées de l'étalon.

Elle allongea la main pour frotter la peau humide de Lir sous les racines de sa crinière. Il s'ébroua et, parce qu'il était si confiant, si infatigable, elle ressentit à son égard une affection sans réserve.

— Par la Sainte Vierge, Nora, où étais-tu passée ?

Mainie saisit Nora par les épaules et la souleva quasiment pour l'emmener à l'intérieur de la chaumière.

— Je... je suis désolée, balbutia la jeune sœur. Je me suis égarée dans les montagnes avec les poneys sauvages.

— Tu es complètement irresponsable, ma pauvre fille ! Je n'ai pratiquement pas dormi de la nuit tant j'étais inquiète, et ce matin, ne te voyant pas revenir, j'étais prête à envoyer des voisins à ta recherche, au cas où tu aurais été assez sotte pour te casser une jambe ou quelque chose de ce genre.

Nora se rendit compte que Mainie s'était vraiment inquiétée à son sujet.

— Pardonne-moi, lui dit-elle en lui touchant le bras. Y a-t-il quelque chose que je puisse faire pour t'aider ?

En vérité, la jeune fille était si fatiguée qu'elle aurait voulu se coucher là, sur les joncs et dormir le reste de la journée et toute la nuit, mais il fallait qu'elle retourne à la cabane pour apporter à manger à José et une corde pour attacher Lir.

Elle espérait que d'ici là l'étalon serait suffisamment fatigué pour ne pas vouloir s'éloigner. Elle l'avait quitté en le laissant paître l'herbe fraîche du bosquet sous l'œil de José, appuyé contre un mur à l'entrée de la cabane.

Il avait acquis auprès d'un des réfugiés espagnols une veste trop large grâce à laquelle il aurait moins froid que lors de son séjour précédent. De plus, Nora avait l'intention de lui apporter une couverture propre. Elle ne savait pas combien de nuits il allait devoir passer au pied des montagnes, en attendant qu'elle lui trouve un autre moyen de retourner chez lui.

Mainie ne répondit pas immédiatement. Rassurée de voir sa jeune sœur saine et sauve, elle était redevenue plus calme. Elle lui tendit une épaisse tranche de pain d'avoine encore tiède et généreusement tartinée de beurre.

— Tiens, prends ça. Je doute que les poneys t'aient donné la soupe hier au soir.

Nora accepta la tartine avec gratitude.

Quatre autres miches fraîches refroidissaient sur une plaque de bois, près de deux seilles de beurre. Mainie prit deux des pains et une seille, puis se dirigea vers la porte.

— Quand tu auras mangé, tu voudras bien me faire une provision de trèfle ? Tu en trouveras une bonne quantité au-delà de la forge de Ronan. Moi, je vais porter ceci à sa mère. C'est elle qui a gardé les enfants pendant ton absence...

— J'ai perdu ma cape là-haut, hier soir, déclara Nora précipitamment, ignorant le reproche voilé de sa sœur. Est-ce que je pourrais t'en emprunter une ?

Mainie lui montra du doigt la grosse caisse de bois sous la fenêtre.

— Qu'est-ce que va dire Maman quand elle apprendra combien tu t'es montrée distraite ? Ce n'est pas comme si tu filais assez de laine sur l'année pour t'en fabriquer une autre !

Sur quoi elle sortit, et Nora commençait à croire que sa sœur était plus facile à supporter quand elle était épuisée, à s'occuper elle-même de ses enfants.

La jeune fille courut vers le coffre et en souleva le couvercle. Il contenait plusieurs couvertures et elle se dit que s'il en manquait une, Mainie ne le remarquerait pas de sitôt. Elle prit également une cape dont elle s'entoura, puis y glissa un pain avant de sortir à son tour, en s'équipant d'une des cordes pendues au mur extérieur.

Le fait d'avoir mangé l'avait revigorée, semblait-il, et c'est avec un cœur plus léger qu'elle prit la direction du bosquet sur la rive du lac.

Chemin faisant, elle aperçut de loin, assise sur un rocher au bord du sentier, une silhouette coiffée d'une capuche et penchée sur un bâton de pèlerin. Une corneille picorait à ses pieds. Nora l'appela.

— Bien le bonjour, père Francis, lança-t-elle en s'approchant.

Le prêtre se tourna et un grand sourire éclaira son visage. S'il se demandait pourquoi elle portait une corde enroulée sur l'épaule, il n'en laissa rien paraître.

— À toi de même, Nora Donovan ! J'étais justement en train de prier pour les âmes des malheureux Espagnols à Aughnanure.

Nora, interloquée, songea qu'il n'avait en aucun cas pu savoir qu'elle venait d'aider l'un de ces hommes à s'échapper. En revanche, personne n'était plus apte que le prêtre à savoir s'il existait un plan pour rapatrier les marins, même s'il s'était trompé quant à la loyauté de Murray O'Flaherty.

— Les soldats anglais s'acharnent à capturer tous les naufragés, lui dit la jeune fille en pesant ses mots. Est-ce que... est-ce que tu crois qu'il y aurait un espoir pour ceux qui pourraient courir encore ?

Le prêtre la dévisagea en plissant les yeux. À ses pieds, la corneille étira ses ailes et crailla à plusieurs reprises. Nora s'efforça de soutenir le regard du prêtre et de ne pas s'imaginer que l'oiseau était en train de la dénoncer.

— Il y a encore quelques personnes prêtes à aider les Espagnols, déclara-t-il enfin. Tout le monde n'est pas aussi exposé aux Anglais que Murray O'Flaherty...

Le père Francis se baissa pour caresser la corneille, et Nora resta suspendue à ses paroles.

— Un marchand espagnol, répondant au nom de Juan de Luca, tient boutique sur les quais du port de Galway. J'ai ouï dire qu'il aurait appris qu'un bateau viendrait récupérer les survivants des naufrages.

Nora manqua de crier de joie et de frustration à la fois. L'existence de ce marchand et la possibilité d'un navire la comblaient d'espoir, mais depuis que les notables de Galway avaient interdit l'entrée de la ville aux membres du clan O'Flaherty, il lui était impossible d'y pénétrer.

Le père Francis se leva et s'entoura de sa cape, et la corneille s'éleva aussitôt pour se poser en piétinant un temps sur son épaule.

— Prends garde à toi, Nora, murmura-t-il. Même le cœur le plus généreux a ses ennemis.

Sur quoi, il passa devant elle et s'en alla en direction du village.

Nora reprit son chemin au pas de course. Au détour du flanc de la colline, elle aperçut de l'autre côté de la vallée un troupeau de poneys. Elle s'arrêta un instant pour vérifier s'il s'agissait de celui de Fiach.

En effet, l'étalon noir lui apparut d'abord, puis la jument couleur de fougère sèche. Nora fut tout à fait rassurée de voir que Dunlin était revenue saine et sauve de la forêt d'Aughnanure.

Le soleil disparaissait derrière les montagnes de l'autre extrémité du lac mais, malgré la lumière déclinante, Nora reconnut de loin une forme gris pâle se mouvant lentement parmi les pins.

Lir ne s'était donc pas éloigné de la cabane, et lorsque Nora déboucha hors d'haleine dans le bosquet, il leva la tête et hennit doucement.

Elle lui murmura qu'il était bien le plus beau cheval de toute l'Irlande et que les fées devaient être jalouses de ne pas pouvoir le lui voler.

— Tu crois qu'il te comprend ? demanda José, ironique, de l'entrée de la cabane.

— Qu'est-ce que ça peut faire ? Il sait que je l'adore. C'est l'essentiel.

— Tu as raison, répondit-il avec un sourire chaleureux, puis, voyant la cape roulée en baluchon : as-tu pu apporter de quoi manger ?

— Bien sûr, répliqua Nora en lui tendant la miche.

Il s'approcha en boitant et mordit dans le pain à pleines dents.

— Ta jambe te fait encore mal ? demanda-t-elle, soucieuse.

— Oui, un peu.

Nora se reprocha de ne pas avoir pensé à apporter des herbes en même temps que le pain. Elle chercherait du chardon bénit et de la camomille lorsqu'elle cueillerait le trèfle.

Comme elle commençait à nouer la corde en guise de licou, José lui demanda, d'un ton si détaché qu'elle aurait pu croire qu'il plaisantait, si elle n'avait pas entendu parler, par hasard, d'éventuels navires en partance pour l'Espagne.

Elle hésita, soucieuse de ne pas créer de faux espoirs.

— Peut-être, répondit-elle au bout d'un moment. Je... je n'en suis pas sûre.

Le garçon sursauta et la saisit par le bras.

— Comment, tu n'es pas sûre ! s'exclama-t-il. Que veux-tu dire ? Il y aurait un bateau ?

— Oui. Oui, c'est possible. Il y aurait un marchand, Juan de Luca, qui saurait quand il devrait venir. Mais rien n'est...

— Où ça ? Où est cet homme ?

José semblait prêt à le rechercher sur-le-champ, tandis que Nora fixait le sol.

— À Galway, dit-elle d'un ton morose.

Elle savait ce qu'il allait lui dire et leva la tête pour rencontrer son regard ardent.

— Alors il faut immédiatement le rencontrer !

Nora finit d'attacher Lir au tronc d'un pin et suivit José dans la cabane, où elle secoua la couverture et l'étendit sur un tas de paille. L'épée du soldat anglais était posée contre un mur, la lame brillant légèrement dans la pénombre.

— Tu ne comprends pas, lui dit-elle. Galway est très loin d'ici, encore plus loin qu'Aughnanure, et puis... je ne suis pas autorisée à y entrer.

Devant l'air désorienté de José, elle soupira et lui expliqua comment la puissante ligue des marchands de la ville, la famille Lynch en tête, en avaient interdit l'accès aux membres de son clan. Ces « féroces O'Flaherty », les appelaient-ils, à cause de leur réputation de voleurs de bétail et de fauteurs de troubles.

Quand elle eut fini, le garçon resta silencieux quelques instants, à tordre un brin de paille autour de son index.

— Ces marchands, tu les connais, alors ?

— Bien sûr que non, rétorqua-t-elle, surprise. Je me suis rendue à Galway une seule fois, il y a longtemps. Et puis ce sont des gens très importants ! Même si je devais les croiser dans la rue, ils n'adresseraient jamais la parole à quelqu'un comme moi.

— Ils ne savent donc pas qui tu es ? Et rien n'indique que tu appartiens au clan de Murray O'Flaherty ?

Nora secoua la tête lentement, voyant où il voulait en venir.

— Non, ils ne sauraient pas qui je suis.

— Nous pouvons donc y aller, puisqu'ils ne reconnaîtront jamais en toi une de ces « féroces O'Flaherty » !

Nora ne put s'empêcher de rire de sa logique et de son accent.

En effet, cela pouvait marcher, et elle eut soudain la certitude qu'elle consentirait, envers et contre tout, à accompagner José à Galway.

Chapitre 24

Ils partirent le lendemain avant l'aube, chevauchant vers le sud, de nouveau sur le dos de Lir et de Dunlin. Nora ne s'étonnait plus de voir la jument si disposée à les accompagner loin de son territoire. Sa seule crainte, c'était que Dan Devlin ou tout autre marchand de chevaux, l'apercevant ainsi à demi domptée, ne veuille l'accaparer et la vendre.

José avait préféré remonter sur la jument car il se disait trop impressionné par Lir, tant il était vrai que l'étalon ne venait pas doucement hennir, comme il le faisait avec Nora, en lui soufflant tendrement dans les cheveux.

Elle avait décidé de voyager à cheval jusqu'à la pointe du lac Corrib, à plus d'une lieue au nord du château d'Aughnanure, pour ne pas risquer d'être vus par quelqu'un du domaine de Murray O'Flaherty.

En effet, même si quelques-uns des kerns éprouvaient de la sympathie pour les marins espagnols, Nora chevauchait, à leurs yeux, un cheval volé. Le ramener au maître leur vaudrait une forte récompense.

Lorsqu'ils atteignirent le lac, elle informa José qu'ils emprunteraient l'une des barques rangées sur le rivage pour parcourir l'étendue d'eau du nord au sud.

Si Nora ne s'était rendue qu'une fois à Galway, elle se souvenait tout de même du parcours, car il était simple. Il suffisait de suivre la rive occidentale du lac Corrib jusqu'à la rivière Galway, qui traversait la ville pour aller se jeter dans l'océan.

Il ne lui échappait pas qu'emprunter une barque pourrait priver son propriétaire d'une journée de pêche au saumon, mais Nora ne voyait pas d'autre solution, et ils la restitueraient le soir même. Si tout se déroulait bien...

Ils voyageraient plus vite sur l'eau et risqueraient moins de rencontrer des soldats anglais. De plus, s'il continuait de pleuvoir, les gens de la ville passeraient sans lever la tête ou ne s'arrêteraient pas assez longtemps pour remarquer des étrangers.

Nora arrêta Lir dans un bosquet à peu de distance du rivage et l'attacha à une branche d'arbre sur un arpent d'herbe.

— Tu crois que Dunlin va rester avec lui ? demanda José en se laissant glisser à terre.

— Oui, le contraire m'étonnerait. Elle ne s'est pas éloignée de la cabane de toute la nuit, et si elle a fui le château, c'était sans doute à cause du coup de feu et du tapage à l'intérieur des murs.

Nora s'était approchée de la jument pour la caresser et lui souffler doucement dans les naseaux, ce à quoi Dunlin réagit en grognant affectueusement.

— Tu préfères les chevaux aux gens, n'est-ce pas ? dit José en souriant.

Nora le regarda, étonnée.

— Oui, sans doute. J'ai toujours pensé que Dunlin était ma meilleure amie, et maintenant, avec Lir, c'est pareil. Les chevaux sont plus fiables que les humains.

— Tu peux aussi me faire confiance, à moi, Nonita, murmura José sérieusement.

Nora se sentit rougir.

— Nous devrions prendre une barque avant l'arrivée des pêcheurs.

Elle quitta Dunlin et Lir en leur donnant une tape amicale à chacun, et gagna la rive du lac.

José la rejoignit pour l'aider à pousser à l'eau le coracle, fragile embarcation d'osier recouverte de peaux goudronnées, dont se servaient les pêcheurs irlandais avec dextérité.

— Tu es déjà montée dans ce truc-là ? demanda-t-il, méfiant.

— Oui, souvent.

Nora lui tendit une rame à manche courte.

— Ne t'inquiète pas, lui dit-elle lorsqu'il leva un sourcil interrogateur. J'en ai une aussi. Tu ne crois tout de même pas que je te laisserais ramer jusque là-bas tout seul ?

Elle lui sourit. En dépit du danger de leur expédition, elle ressentait une certaine excitation à la perspective de se rendre à Galway. Peut-être parce qu'elle était l'une de ces « féroces O'Flaherty », osant à son tour défier l'autorité.

Après s'être embarqués non sans péril, José ayant manqué de faire basculer la barque sous le rire moqueur de Nora, ils ramèrent dans le silence de l'aube grise, interrompu seulement par le glissement des rames et le cri occasionnel d'une poule d'eau.

Lorsqu'ils passèrent à hauteur du château d'Aughnanure, Nora montra du doigt le sommet de la tour visible juste au-dessus de la forêt d'ifs.

José hocha brièvement la tête et enfonça sa rame dans l'eau avec plus d'énergie, comme s'il voulait s'éloigner rapidement de l'endroit où ses compagnons avaient été trahis.

Ils atteignirent plus tard l'embouchure de la rivière Galway. Nora ne sentait plus ses épaules ni ses bras à force d'avoir ramé et elle souffrait de crampes aux jambes, étant restée assise en tailleur pendant tout le voyage sur l'eau.

Heureusement, à partir de là, ils purent se détendre, car le courant les entraîna.

Ils croisèrent plusieurs paysans qui travaillaient dans les champs de part et d'autre du cours d'eau, qui menaient un troupeau de vaches ou portaient des pièges à anguilles pour les déposer dans l'eau, mais personne ne prêta attention à la petite barque.

En vue d'un haut beffroi sur la rive droite, Nora reprit sa rame et dirigea le coracle vers la berge.

— Nous devons débarquer ici, près de l'abbaye. Il y a trop de navires dans le port.

José acquiesça de la tête, le visage grave et

pâle maintenant. L'eau était peu profonde et ils descendirent en pataugeant pour cacher la barque dans un faisceau de joncs, puis grimpèrent sur la terre ferme.

Nora eut un sentiment d'amertume en voyant les vieilles pierres de l'abbaye que les moines avaient dû abandonner cinq ans auparavant, expulsés par les Anglais.

Elle montra à José un pont de bois menant à un portail au toit pentu.

— Il me semble que c'est la tour de la Petite Porte. Si c'est le cas, le port est de l'autre côté de la ville.

Elle essaya de se souvenir de sa première visite, mais se rappela seulement avoir tenu serrée la main de son frère Colm, de peur de le perdre dans la foule. Elle s'arrêta tout à coup, craignant de ne pas retrouver aujourd'hui le bon chemin, et d'être traduite devant les notables de la ville.

José vit son embarras.

— Ne t'inquiète pas, Nonita. Personne ne te connaît. Conduis-toi normalement et n'aie pas l'air si méfiant.

Il sourit, mais Nora vit que sa main tremblait. Elle hocha la tête pour le rassurer. Après tout, si elle était prise par ses compatriotes, on la reconduirait sans doute hors de murs, tandis que José risquait à coup sûr sa vie, à chercher le marchand espagnol.

Ils traversèrent le pont côte à côte et pénétrèrent dans la ville derrière une famille qui suivait un char à bœufs en bavardant.

Soudain, un bruit de cavalcade retentit en bas de la rue et un homme cria en anglais :

— Attention devant ! Rangez-vous !

José saisit Nora et la poussa contre un mur.

— Ne bouge pas, souffla-t-il, serré contre elle, tête baissée.

Un brouhaha s'éleva autour d'eux, la famille s'efforçant à grands jurons d'écarter le char à bœufs. Une fillette marcha sur le pied de Nora tandis que résonnait, terriblement près, le claquement de sabots ferrés contre les pavés.

Nora retint son souffle, fixant du regard la pierre grise du mur devant son nez, s'attendant à tout instant qu'une main gantée de cuir la saisisse par l'épaule et la somme d'expliquer ce qu'elle faisait en compagnie d'un marin fugitif espagnol.

Un des bœufs meugla quand un cheval buta contre le char, puis les cris des soldats et le fracas métallique s'éloignèrent enfin.

— Allons, viens ! lança José en prenant Nora par la main.

Pendant un court instant, la jeune fille resta figée, à combattre une forte envie de fuir le brouhaha, de retourner à la barque et de retrouver le silence des montagnes. Elle regarda José pour voir si lui aussi supportait mal les clameurs mais, les Anglais partis, il regardait calmement autour de lui.

— C'est comme à Cadix, dit-il en souriant devant son désarroi. Mais pour toi, ça ne vaut pas les montagnes, hein ?

Elle secoua la tête. La foule l'entourait de toutes parts, mais lorsqu'elle s'espaça brièvement, Nora aperçut une rue qui rejoignait celle où ils se trouvaient. Plusieurs étals de poisson s'y succédaient et elle se rappela ses frères faisant rouler un tonneau de moules sur les pavés.

— C'est par là qu'il faut aller.

José lui prit de nouveau la main pour lui éviter d'être emportée par le flot humain et ils se frayèrent tant bien que mal un chemin le long de cette deuxième rue.

Passé le marché, une sombre tour grise se dressait plus haut que les maisons. Nora reconnut le castel de Lynch, où résidait la famille la plus puissante du comté de Galway.

Elle serra sa cape près de son menton pour passer devant le bâtiment : Lynch, le maire, avait été l'un des détracteurs les plus virulents du clan O'Flaherty.

Arrivée à un nouveau carrefour, Nora essaya de se rappeler quelle rue elle avait empruntée avec ses frères au retour des quais. José désigna du doigt un homme qui tirait vers le haut de la rue transversale une charrette à bras chargée de barriques noires et mouillées, incrustées de sel.

— Il doit venir du port, dit le jeune Espagnol. De toute façon, si on veut rejoindre la mer, il faut obligatoirement descendre.

Ils passèrent près d'un gros homme qui vendait de petites tourtes chaudes à l'odeur alléchante, et Nora regretta de ne pas avoir une pièce ni quelque chose à échanger pour en acquérir au moins une.

Plus loin, José attira Nora sur le bord de la rue pour laisser passer une robuste femme rougeaude montée sur un poney gris. Elle lui labourait les flancs à coups d'éperons pour le faire avancer plus vite sur les pavés glissants.

— Sale bête ! s'écria-t-elle lorsque l'animal trébucha.

Elle se mit à tirer violemment sur les rênes, faisant crisser le mors contre les dents du poney. Nora grimaça et s'apprêtait à tancer vertement la femme quand elle sentit les doigts de José lui presser le bras en guise d'avertissement.

La jeune fille se mordit les lèvres et garda le silence tandis que la cavalière s'éloigna en ballottant sur sa selle. José l'entraîna au milieu de la chaussée avec un regard compatissant, atterré lui aussi par ce traitement ignoble infligé à une bête innocente.

Ils débouchèrent enfin sur une place entourée d'une haute muraille. L'autre face était percée de deux arches par lesquelles ils apercevaient les mâts et les voiles ferlées d'un grand nombre de bateaux.

— Nous voici sur le quai, dit Nora. Reste à trouver Juan de Luca.

La tâche s'avérait difficile. Nora eut un moment de découragement en découvrant l'alignement de boutiques et d'auberges le long du front de mer, les portails ouverts sur les tonneaux de vin et les barils de sel ou d'épices.

— Il faut que tu demandes où on peut le trouver, lui dit José, la bouche serrée et le regard dur, comme lorsqu'il était résolu à sortir du château.

Nora se rendit dans l'échoppe la plus proche, trébuchant sur les pavés et se sentant décidément maladroite. Un vieillard au visage buriné sous de longs cheveux blancs était assis sur une barrique à affûter un couteau sur une pierre.

— Excuse-moi... monsieur, balbutia-t-elle en tordant un coin de sa cape autour de ses doigts. Je cherche Juan de Luca.

L'homme ne leva pas la tête de son travail.

— On dirait qu'il y a pas mal de gens qui le cherchent, gronda-t-il enfin.

— Je t'en prie, c'est important !

Elle espérait qu'il ne lui demanderait rien en échange. Elle n'avait que sa cape, qui appartenait à Mainie.

Le marchand soupira et posa le couteau, mais seulement pour en prendre un autre dans une série alignée par terre.

— À douze boutiques d'ici, dit-il d'un ton bourru. Cherche l'enseigne de couleur noir et jaune.

— Oh, merci monsieur !

Elle fit un signe à José et ils longèrent le quai jusqu'à l'enseigne en question.

— C'est là. Viens, dit-elle.

Elle fut surprise de le voir s'arrêter, l'air gêné.

— Il vaut mieux que tu entres seule... Si c'était un piège ? On ne sait jamais...

La jeune fille sentit son cœur battre la chamade. Il avait raison. Elle ne croyait pas que le père Francis les trahirait délibérément, mais le prêtre ne pouvait en aucun cas garantir que Juan de Luca était réellement en mesure d'aider les naufragés. Et même si elle était du clan O'Flaherty, elle était tout de même irlandaise. Sa vie n'était donc pas en danger comme celle de José.

Elle observa le visage pâle et crispé du garçon et, de peur de perdre courage, pénétra résolument dans l'échoppe.

Il faisait sombre à l'intérieur et Nora ne distingua d'abord que de vagues formes de tonneaux, de boîtes et de ballots entassés le long des murs. Elle entendit des pas s'approcher du fond du magasin, et une haute silhouette vêtue de noir se détacha de l'ombre.

— Je peux t'aider ? demanda l'homme d'une voix grave mais chaude et musicale qui rappelait celle de José.

— Je... je l'espère, bégaya Nora. Nous... Je cherche Juan de Luca.

Il écarta les bras, mais resta le visage à l'ombre de sorte qu'elle ne pouvait distinguer ses traits.

— Eh bien, tu l'as trouvé. Que me veux-tu ?

Nora avala sa salive et pensa au père Francis pour se donner du courage.

— On m'a dit qu'un navire doit venir chercher des marins espagnols rescapés des naufrages. Pourrais-tu... s'il te plaît... me dire où il est attendu ? Et quand ?

Un long silence suivit ses paroles, interrompu seulement par le ronronnement d'un chat roulé en boule sur le dessus d'un ballot et qui observait fixement Nora de ses yeux couleur de cuivre.

Puis l'homme répondit, d'un ton lourd de méfiance.

— Tu n'as pourtant rien d'un marin naufragé. Pourquoi t'intéresserais-tu à un tel bateau, en supposant qu'il existe ?

Chapitre 25

Nora ne savait plus quoi faire. Rien ne prouvait qu'il ne s'agissait pas d'un piège, et comment pouvait-elle persuader le marchand de lui parler du navire sans trahir José ?

— Parce qu'elle a déjà risqué sa vie en essayant de m'aider à rentrer chez moi.

José se tenait à l'entrée. Il s'exprimait clairement dans sa langue natale. Nora se retourna, consternée, mais le garçon leva la main et reprit.

— D'après votre accent, je dirais que vous venez de Cadix. C'est aussi mon pays. S'il vous plaît, si vous êtes au courant d'un navire, il faut nous en parler.

La jeune fille remarqua qu'il ne déclina ni

son nom ni le rang de son père. Elle en déduisit que si le marchand était prêt à les informer, ce serait parce qu'il était prêt à aider tous ses compatriotes naufragés et non pas seulement José à cause de ses origines.

L'homme rit d'une voix grave comme un roulement de tonnerre et s'avança hors de l'ombre, découvrant son visage. Nora étouffa un cri à la vue d'une longue balafre coupant sa joue d'une oreille à la commissure de ses lèvres. Devant sa réaction, l'homme sourit, sa bouche se relevant seulement du côté indemne de sa figure.

— Je n'ai pas toujours vendu des vins et des épices. Et tu as raison, je suis né à Cadix, il y a longtemps.

Nora devinait ses paroles, son accent adouci sans doute par l'habitude de s'exprimer en irlandais. Le marchand la regarda.

— Tu comprends l'espagnol ?

Elle hocha brièvement la tête.

— Quand vous saurez ce qu'il en est du navire, dit l'homme en s'adressant aux deux jeunes gens, ce n'est pas moi qui vous en aurai parlé. Vous ne connaissez même pas mon nom. C'est entendu ?

— Bien évidemment, répondit José d'un ton calme.

Il s'exprimait comme le fils d'un puissant noble espagnol, non plus comme un naufragé apeuré.

— Il mouillera dans la baie de Killary, au nord des montagnes du Connemara, dans deux jours. Il n'attendra là qu'une seule nuit avant de lever l'ancre et faire cap sur l'Espagne. Ce sont nos amis catholiques d'Écosse qui l'envoient.

L'homme se pencha en avant, le regard sincère.

— Que Dieu vous protège, mes amis. Les soldats anglais sont partout. Il paraît qu'ils ont amené encore une cinquantaine de prisonniers hier.

Nora jeta un coup d'œil à José et comprit qu'il pensait comme elle. Certains de ces hommes devaient venir d'Aughnanure et il aurait pu se trouver parmi eux.

Juan de Luca se recula lorsqu'une petite femme rouquine entra dans le magasin en se dandinant, un panier au bras.

— Bonjour, bonjour ! s'écria-t-elle joyeusement.

Elle plongea le doigt dans un bol de safran, le porta à ses narines et hocha la tête.

— Je prendrai un peu de ça et de la cannelle, si vous en avez.

Le marchand acquiesça et s'adressa à Nora en irlandais.

— Je regrette de ne pas avoir l'épice que vous cherchez, mais j'espère que vous aurez plus de chance ailleurs.

— Merci, monsieur. Merci beaucoup, répondit-elle, sachant qu'il leur souhaitait bonne route.

Ils retrouvèrent dehors la lumière et le brouhaha du port. Il y avait foule au bout du quai, et Nora s'arrêta en entendant un hennissement, puis un autre lui faire écho, suivis d'un martèlement de sabots sur les pavés.

Un alignement de croupes louvettes laissa supposer une vente de chevaux. En bout de ligne, un homme robuste et barbu semblait discuter du prix d'un splendide gris, plus sombre que Lir mais avec la même encolure arquée et une longue crinière épaisse.

Nora en conclut qu'il s'agissait d'un autre cheval espagnol rescapé de la tempête.

Tout à coup, un homme mince, aux cheveux brun clair, apparut de derrière le cheval et Nora croisa le regard vert de Dan Devlin.

Sans un mot, elle saisit la main de José et l'entraîna dans la foule. Elle ne souhaitait pas s'attarder pour savoir si Devlin l'avait ou non reconnue.

Le marchand de chevaux savait fort bien que la famille de Nora était bannie des murs de Galway, et elle tremblait à l'idée qu'il puisse poser des questions embarrassantes lors d'une prochaine visite à Errislannan.

Jamais elle ne pourrait avouer à ses parents qu'elle s'était rendue dans la ville interdite, ou qu'elle avait risqué sa vie à sauver un marin espagnol.

— Quelque chose ne va pas ? demanda José comme elle le tirait à contre-courant du flot humain qui débouchait de la rue.

— J'ai vu quelqu'un qui me connaît. Un marchand de chevaux qui vient parfois à Errislannan.

— Il t'a vue aussi ?

— Je crois bien.

Comme ils ne pouvaient rien y faire, ils continuèrent à se frayer un chemin le long des rues surpeuplées, s'arrêtant de temps à autre pour s'assurer qu'aucune patrouille anglaise ne risquait d'interrompre leur course.

Ils atteignirent enfin la tour de la Petite Porte, traversèrent le pont et longèrent la rivière jusqu'au carré de joncs, où Nora s'accroupit pour détacher la barque.

Elle était essoufflée et souffrait d'un point de côté. Elle jeta un coup d'œil à José, et le trouva pâle et grimaçant. Sa blessure ne l'avait pas disposé à courir d'un côté à l'autre de la ville.

De toute façon, ils ne pouvaient pas rester là. Déjà des passants les regardaient avec suspicion, et il aurait suffi que l'un d'entre eux, doté d'un peu d'imagination, les prenne pour de petits malfaiteurs en fuite et les dénonce aux gens d'armes ou, pire encore, aux soldats anglais.

Elle tira José par la manche de sa chemise.

— Viens, monte. Je peux ramer toute seule.

Au début, le garçon se tint recroquevillé à côté d'elle, cherchant d'abord à recouvrer son souffle et serrant sa jambe blessée dans ses bras.

Au bout d'un moment, il saisit l'autre rame et se mit à la manipuler avec énergie, poussant l'esquif plus rapidement en amont. Arrivés sur le lac, où le courant ne les freinait plus, ils se mirent à ramer à tour de rôle.

José s'installa plus confortablement et, à demi couché, laissa ses doigts flotter dans l'eau. Il regarda Nora et sourit.

— Je crois qu'on peut faire confiance à Juan de Luca. Il vient de Cadix, après tout. Le bateau viendra, et je pourrai rentrer chez moi.

Nora lui sourit en retour, espérant pardessus tout qu'il avait raison. Elle pensa avec une pointe de tristesse au père du garçon, qui devait scruter sans cesse l'océan dans l'espoir de revoir son fils.

Ils avaient deux jours à attendre, tout ce qu'il fallait pour se remettre du voyage, laisser Lir et Dunlin se reposer et soigner la blessure de José.

Quand le fond du coracle racla des galets, Nora s'assura qu'ils avaient atteint la pointe nord du lac. José sauta dans le bas-fond, grimaçant à cause de sa jambe, et stabilisa la barque pour aider Nora à en descendre. Ils la hissèrent sur la grève, où elle semblait attendre, solitaire, que les autres embarcations reviennent de leur journée de pêche.

Nora se conforta à l'idée qu'ils seraient de retour à Sraith Salach avant la nuit. Elle pourrait peut-être même trouver le temps de soulager Mainie de quelques corvées et faire en sorte que sa sœur ne la renvoie pas à Errislannan sous l'emprise de la colère, avant qu'elle ait pu emmener José à la baie de Killary.

Ils remontèrent la plage jusqu'au bosquet.

— Mon père sera très surpris d'apprendre que j'ai passé autant de temps à cheval.

Nora ne répondit pas. Elle s'était arrêtée net, et regardait autour d'elle avec désarroi. Le bosquet était désert. Lir et Dunlin étaient partis.

Chapitre 26

Des traces de sabots laissaient supposer que les chevaux étaient repartis par la forêt d'ifs, en direction des montagnes. La corde, restée attachée à la branche, portait des traces de dents à l'extrémité qui traînait au sol.

De toute évidence, Lir ou Dunlin l'avaient mâchée, probablement par accident plutôt que par intention, mais il était facile d'imaginer qu'ils avaient profité de la soudaine liberté de l'étalon.

Aussi Nora fut-elle soulagée d'en déduire qu'ils n'avaient pas été volés. En revanche, le retour sur le Connemara s'annonçait long et ardu, surtout pour José avec sa jambe déjà endolorie.

Avant de se mettre en route, elle siffla quand même, espérant que Dunlin ne se serait pas trop éloignée, mais aucune galopade ne s'ensuivit. Il ne servait à rien de rester près du lac, qui était deux fois plus distant de la baie de Killary que la cabane dans la pinède à Sraith Salach.

Ils marchèrent péniblement sous la pluie battante, leur cape serrée autour de leur tête. Nora écoutait le pas irrégulier de José dans la boue, avançant avec un acharnement qui laissait deviner que rien au monde ne l'empêcherait d'atteindre Killary, même s'il devait y arriver en rampant.

Des larmes de frustration et d'épuisement se mêlèrent à la pluie sur les joues de Nora, et la joie qu'avait suscité en elle la nouvelle du navire écossais s'était estompée.

Elle ressentait une profonde tristesse d'avoir perdu Lir, non pas parce qu'elle voulait accompagner José jusqu'à Killary mais parce qu'elle avait commencé à considérer l'étalon d'une manière différente par rapport aux poneys sauvages.

Outre le fait qu'il était mieux entraîné, l'étalon avait été dépendant de Nora pour survivre, et cela avait consolidé leur lien. Elle avait risqué sa vie pour lui autant que pour

José en les libérant du château d'Aughnanure, et elle se sentait en quelque sorte trahie de constater qu'il était parti avec Dunlin au lieu de l'attendre.

Elle se demandait si la jument l'aurait emmené dans son troupeau ou laissé se débrouiller tout seul dans les montagnes. Nora imaginait mal que Fiach accueille le jeune étalon sur son territoire, et n'osait songer à ce qui se passerait s'ils s'affrontaient.

Il faisait presque nuit lorsqu'ils arrivèrent à la cabane et, malgré l'obscurité qui régnait à l'intérieur, ils étaient si fatigués qu'elle leur parut accueillante. José se laissa tomber sur la couverture et mordit avec avidité dans le quignon de pain.

— Je viendrai te voir demain matin, lui promit Nora, debout près de la porte.

Elle ne voulait pas s'asseoir de peur que ses jambes lui fassent défaut en se relevant.

— Comment rejoindre le bateau sans les chevaux ? demanda José en cessant de mastiquer, la dévisageant avec inquiétude.

— Oh, je suis sûre de pouvoir récupérer Dunlin.

Nora s'efforça de paraître confiante et évita de mentionner Lir. Si l'étalon avait pris goût à la liberté, il ne se laisserait peut-être plus monter. Et Dunlin serait-elle prête à délaisser son nouveau compagnon pour elle et José ?

La baie de Killary était à une bonne journée de marche, et si elle ne pouvait s'assurer que Dunlin répondît à son appel, ils seraient contraints de partir plus tôt.

Quelque peu affamée et distraite par la fatigue, Nora laissa José s'abandonner au sommeil sous la couverture de Mainie, et se rendit à pas lourds au hameau en bordure du lac.

Elle s'attendait à une belle dispute en ouvrant la porte de la chaumière, mais sa sœur leva à peine la tête tandis qu'elle nourrissait sa fille aînée de potage à la cuiller.

Mainie lui expliqua que les deux enfants plus jeunes étaient fiévreux et que Fionn était parti demander des herbes à la mère du forgeron. Elle ne fit aucune allusion aux miches de pain manquantes ni à la couverture et à la cape que Nora avait empruntées.

Gênée d'avoir été absente alors que les enfants étaient souffrants, Nora s'occupa de nourrir sa nièce pour permettre à sa sœur de s'occuper du bébé.

En dépit des herbes médicinales, les enfants s'étaient agités toute la nuit durant. Épuisés, bien sûr, ils s'endormirent comme l'aube commençait à éclairer l'intérieur de la chaumière. Aussi Nora eut-elle l'impression, en se réveillant, de s'être frotté les yeux avec des poignées de sable.

Elle savait que José l'attendrait dans la cabane, avide de nouvelles et de nourriture, mais elle ne pouvait pas laisser Mainie seule à moudre le pétrin, traire la vache et vaquer à toutes les corvées autour et à l'intérieur de la maison.

Fionn, qui paraissait avoir ignoré les tumultes de la nuit, s'empressa de se rendre à son atelier sitôt avalé son bol de petit-lait, laissant aux femmes le soin de balayer, secouer les couvertures et cuire le pain avant que le soleil ait franchi les crêtes.

Nora attendit que Mainie se soit installée à jouer calmement avec les enfants pour dissimuler un quignon de pain frais et un bol de lait chaud sous sa cape. Puis elle sortit rejoindre la cabane où José devait s'impatienter.

Lorsqu'elle atteignit la pinède, elle s'abrita les yeux d'une main pour scruter l'autre rive du lac, au-delà des fines nappes de brume blanche qui effleuraient encore l'eau. Les poneys sauvages y paissaient, ombres floues à contre-jour sur l'herbe d'un vert pâle.

Fiach avait coutume de se tenir à l'écart du troupeau, prêt à dresser la tête au moindre bruit suspect, mais aujourd'hui, elle ne le voyait pas. Puis, tout à coup, un hennissement furieux retentit à travers la vallée, et elle aperçut le petit étalon noir qui se tenait les membres tendus et les oreilles aplaties en arrière.

Face à lui se dressait un cheval gris pâle, couleur de nuages, sa longue crinière soulevée par la brise. Nora, alarmée, réalisa que les deux étalons allaient se battre.

Fiach hennit encore et Lir se cabra, frappant l'air avec ses antérieurs, répondant au défi avec un hurlement assourdissant. Le bol de petit-lait et la miche de pain roulèrent dans l'herbe quand Nora se précipita dans la cabane en criant.

— José ! Viens vite !

D'un mouvement vif, le garçon rejeta la couverture et saisit l'épée appuyée au mur. Le regard farouche, il attira Nora à lui.

— Qu'est-ce qu'il y a ? Les soldats sont là ?

Nora se dégagea et courut à la porte.

— Non, c'est Lir et Fiach. Ils se battent. Regarde !

Elle pointa le doigt au-delà du lac.

— Fiach ? s'écria José. Mais qui est Fiach ?

— L'étalon du troupeau de Dunlin. Viens, il faut les arrêter !

Fiach était plus âgé que la plupart des étalons de la montagne, mais Lir n'avait jamais lutté pour la conquête d'un groupe de juments, et sa blessure le rendait vulnérable aux sabots et aux dents de son adversaire.

Nora rassembla ses jupes et se mit à courir sur la rive du lac, ne sachant nullement comment elle pouvait empêcher deux étalons de s'entre-tuer.

José la rattrapa et la força de s'arrêter. Au-dessus d'eux, au sommet d'une butte, les deux chevaux se ruèrent l'un sur l'autre, leurs sabots s'entrechoquant si fort qu'un vol de corbeaux effarouchés s'éleva en croassant d'un arbre voisin. Nora vit avec horreur Fiach enfoncer ses dents dans l'encolure de Lir.

— Non ! gémit-elle. Arrêtez, par pitié !

José lui saisit les épaules et la retourna vers lui.

— Nous ne pouvons rien faire, s'écria-t-il en secouant la tête avec regret. Ils se battent, et l'un d'eux gagnera. C'est ce que font les chevaux, non ?

Elle hocha la tête, sachant qu'il avait raison mais désirant de tout son être escalader la pente et, sans savoir comment, les forcer à se séparer.

— Si tu essaies de les arrêter, tu vas te faire très mal, ajouta José.

Plus loin au bord du lac, les juments avaient levé la tête et suivaient le combat du regard. Nora serra les poings en voyant une silhouette familière, couleur de fougère sèche, sortir du troupeau, les oreilles pointées en direction du tertre.

« C'est ta faute, Dunlin ! » aurait-elle voulu crier.

Elle savait pourtant que Lir, une fois libéré, aurait naturellement obéi à l'instinct de chaque étalon de se montrer le plus fort et le plus courageux de tous.

Près de José qui la tenait encore par le bras, elle assista, impuissante, au combat des deux géants, l'un bas sur pattes et rapide, tournant et se retournant pour mordre le gris à l'encolure et aux flancs, l'autre plus haut de plusieurs mains, tendant ses longs antérieurs pour strier de balafres la robe de son aîné.

Soudain, Fiach se détourna et, de ses postérieurs, frappa durement Lir sur l'épaule, en plein sur sa blessure. Nora ne put retenir un cri d'effroi en voyant le gris perdre l'appui de ses jambes et s'écraser au sol.

Le poney à la robe sombre se tint au-dessus de lui en secouant sa courte crinière, et Nora s'arracha de l'étreinte de José pour se précipiter vers le monticule en agitant les bras.

— Assez, assez ! hurla-t-elle. Retourne à tes juments !

Fiach la regarda un instant, les oreilles vibrantes, avant de s'en aller au trot rejoindre son troupeau.

En s'approchant, il accéléra au petit galop et poussa un hennissement qui fit lever les têtes des juments. Elles lui emboîtèrent le pas, tournant le dos au cheval espagnol étendu sur le tertre.

Seule Dunlin resta sur place, les oreilles dressées, à observer Lir. Fiach fit alors demi-tour et revint, irrité, lui pincer la croupe d'un coup de dents. La jument protesta d'un cri perçant, mais galopa hors de la vallée au côté de l'étalon noir, jusqu'à ce qu'ils disparaissent dans une nappe de brume.

Le silence retomba sur la vallée.

Nora se précipita de nouveau vers la forme inerte sur le monticule. José la suivit, d'un pas plus régulier que la veille, et la rattrapa rapidement. Ils gravirent le flanc du tertre et s'arrêtèrent, haletants, au bord du plateau.

Lir était étendu avec ses antérieurs repliés sous sa poitrine et sa tête allongée sur le sol. Son cou et son épaule étaient couverts de morsures et de blessures dues aux coups de sabot, et sa robe était teintée de rose là où le sang s'était mêlé à la sueur.

Nora voulut s'avancer, mais José la retint par le bras.

— Fais attention, peut-être est-il encore furieux.

— Je ne peux pas le laisser comme ça !

Elle fut interrompue par un grognement de Lir qui avait levé la tête et qui, rassemblant ses jambes, se releva. Il se tint debout un moment, immobile, avant de se secouer énergiquement, sa crinière fouettant l'air autour de sa tête. Il ronchonna de nouveau, hocha la tête et fixa Nora à travers son toupet emmêlé.

La jeune fille comprit alors qu'il lui demandait de l'aider, tout comme elle l'avait fait à la suite du naufrage. Elle courut sur l'herbe jusqu'à lui et entoura son encolure de ses bras.

— Quel idiot tu fais, murmura-t-elle en le caressant fébrilement. Qu'est-ce qui t'a pris, d'affronter Fiach de la sorte ?

L'étalon souffla son haleine chaude sur l'épaule de la jeune fille qui regarda José au-delà du museau écorché du cheval.

— Il faut le ramener à la cabane, lui lança-t-elle. Je peux laver ses cicatrices au ruisseau. Fiach ne l'attaquera pas si près du village.

José eut l'air dubitatif, mais n'intervint pas lorsqu'elle encouragea doucement l'étalon à avancer en le tenant par la crinière.

Lir hésita, puis l'accompagna en boitant vers le bas du monticule et le long de la rive du lac. Il hochait péniblement la tête à chaque pas et Nora constata, inquiète, que la peau autour de sa vieille blessure était de nouveau chaude et enflée.

Elle passa instinctivement en revue les herbes requises pour l'aider à guérir. La mère du forgeron saurait lui indiquer, outre les plantes qu'elle gardait d'habitude, où trouver celles qui étaient plus rares, comme le souci d'eau et la camomille.

Ils atteignirent enfin la pinède, où Lir suivit Nora sans hésiter jusqu'au ruisseau près de la cabane. La jeune fille se mit à laver l'encolure et la poitrine du cheval, auquel José offrit une poignée d'herbe qu'il commença à mâcher sans enthousiasme.

— Est-ce qu'il va guérir vite ? demanda le garçon.

Nora supposa qu'il s'inquiétait de savoir si Lir pourrait les emmener jusqu'à la baie de Killary.

— On peut l'espérer, après une bonne nuit de sommeil... Son épaule s'est cicatrisée assez vite la dernière fois, et je devrais trouver des herbes au village. Je ne crois pas qu'il voudra trop s'éloigner cette nuit, mais je rapporterai une corde, parce qu'on ne sait jamais.

Elle posa sa joue contre l'encolure humide de l'étalon et tordit quelques crins entre ses doigts. Il respirait avec plus de régularité à présent et, si tout allait bien, ils pourraient partir pour Killary le lendemain soir comme ils l'avaient souhaité.

Il n'y aurait qu'un petit croissant de lune, si bien que même en l'absence de nuages, la nuit serait sombre, mais le parcours était facile.

Nora ferma les yeux et se rendit compte pour la première fois qu'elle ne tenait pas vraiment à ce que José s'en aille.

Personne dans sa famille ne réalisait ce que les poneys sauvages représentaient pour elle, et nul autre que lui avait jamais dit combien elle était courageuse de les fréquenter.

De plus, si elle perdait Lir, elle resterait seule sans rien ni personne pour lui rappeler le naufrage des Espagnols, quoiqu'elle n'oublierait jamais que sa vie en avait été changée à tout jamais.

Elle entendit José retourner à la cabane en buvant au passage quelques gorgées d'eau au ruisseau. Les yeux toujours fermés, elle pressa davantage son visage contre l'encolure de Lir et respira plus lentement pour s'adapter à son souffle.

Soudain, elle perçut un mouvement derrière elle et Lir se raidit, tournant la tête, les oreilles dressées.

Lentement, Nora releva la tête et entendit, avec un net sentiment d'accablement, une voix perçante et importune.

— C'est pas un poney des montagnes, ça, hein, Nora ?

Chapitre 27

Nora fit volte-face pour découvrir avec désarroi le rictus triomphal qui se dessinait sur le visage bouffi, plat et mesquin de sa voisine.

— Clara ! Qu'est-ce que tu fais ici ?

La benjamine des Foyle brandit un petit sac de cuir.

— La mère MacNichol m'a envoyée chercher du cresson.

Elle sortit d'entre les arbres et s'approcha de Lir.

— Eh bien, c'est un drôle de secret que tu gardes là ! Tu l'as trouvé sur la plage ?

— Ça ne te regarde pas ! rétorqua Nora. Et tu ne gagneras rien à parler de lui à qui que ce soit, alors tu peux retourner au village et m'oublier.

— Oh, je ne crois pas pouvoir faire ça, s'exclama Clara en écarquillant des yeux d'innocence blessée. Il y a des gens qui cherchent partout des débris de ces naufrages. Dan Devlin, entre autres, serait prêt à payer un bon prix pour une pareille bête. Ou peut-être que tu comptais lui en parler toi-même ?

Elle s'approcha de Lir et tendit la main pour toucher sa crinière. L'étalon souffla par les naseaux et se recula.

— C'est moi qui l'ai trouvé, pas Dan Devlin, gronda Nora en serrant les dents. Il ne touchera pas un poil de ce cheval.

— Tu crois ? s'étonna Clara en levant les sourcils.

Son regard passa du cheval à la cabane derrière Nora. Celle-ci sentit chaque muscle de son corps la pousser à se retourner pour s'assurer que José restait hors de vue, mais elle resta immobile et continua à fixer Clara dans les yeux.

— Tu me parais très perturbée, Nora. Es-tu sûre que le cheval est le seul butin que tu as récupéré de la mer ?

Nora sentit ses jambes flageoler. Avant qu'elle puisse dire un mot, Clara commença à marcher vers la cabane. Elle la suivit en retenant son souffle, s'efforçant de scruter l'obscurité de l'habitacle et espérant que José était alerté.

Soudain, Clara hésita devant l'entrée et se retourna vers Nora.

— Tu ne serais pas en train de me cacher autre chose, hein ? Après tout, nous ne sommes pas seulement des voisines mais aussi des amies. Et nous savons ce que ça coûte quand quelqu'un est assez stupide pour tenter d'aider des marins espagnols.

Sa voix semblait forcée, à présent, et Nora se rendit compte que la fille avait peur, en vérité, de ce que pouvait cacher l'obscurité de la cabane. Peur des fées ou peur de trouver un Espagnol désespéré et prêt à tout, c'était impossible à deviner.

Il y eut un mouvement presque imperceptible derrière Clara, une ombre plutôt qu'une forme définie. Et du coin de l'œil, Nora capta, sans aucun doute possible, le bref reflet d'une lame d'acier.

José attendait derrière le mur d'entrée, l'épée au poing. Il avait sûrement reconnu la voix d'une fille, mais Nora savait qu'il ne reculerait devant rien pour éviter d'être capturé à nouveau.

— Doux Jésus ! s'exclama-t-elle en contrôlant tant qu'elle pouvait le timbre de sa voix. Crois-tu vraiment que j'aurais le courage de cacher un naufragé espagnol en plus d'un cheval ?

Elle avait posé une main sur le bras de Clara et attendait, le cœur battant, qu'elle se moque d'elle, en affirmant en effet que jamais Nora Donovan n'aurait autant d'esprit et de volonté.

Clara cilla, puis sourit avec malice.

— Et en plus de ça, tu n'as même pas réussi à bien cacher le cheval, hein ?

Elle regarda Lir qui les observait avec curiosité de l'autre côté de la clairière, puis reprit la parole.

— Parce que maintenant que je suis au courant, tu n'imagines pas les problèmes que tu vas connaître dès que ton père et ta mère seront informés de tes bêtises.

Elle se tut, le temps d'imaginer une autre méchanceté, puis son visage ingrat s'éclaira de nouveau.

— Ou peut-être bien que je ne leur dirai pas en premier, parce que Dan Devlin pourrait me payer une belle somme si je lui apprenais qu'il y a un autre étalon espagnol dans les parages. Il paraît qu'il a vendu à un marchand de Galway un bai pour plus qu'il aurait touché contre une douzaine de poneys. Tu as peut-être trouvé ce cheval la première, Nora, mais je sais où il est, moi, et du coup, il ne t'appartient pas plus que les poneys de la montagne.

Sans un mot de plus, elle s'éclipsa entre les arbres, en courant plus vite que Nora aurait cru possible de la part d'un être si dodu.

— *Madre de Dios* ! souffla José au bout d'un moment. Que va-t-il se passer maintenant ?

— Je n'en sais rien, avoua Nora. Elle ne se doute pas de ta présence, en tout cas, et c'est le plus important. Demain soir, tu seras parti, et Lir aussi...

Ils restèrent côte à côte à regarder l'étalon gris qui broutait calmement l'herbe sous les pins.

— Il vaut peut-être mieux qu'elle informe Devlin d'abord, dit la jeune fille en tentant d'encourager José. Les chevaux qu'il a déjà récupérés devraient le retenir encore un peu à Galway. Ainsi, le temps qu'il revienne par ici, tu seras peut-être de nouveau en Espagne.

« Et Lir ? Que va-t-il devenir, maintenant que Clara est au courant ? » se demanda Nora, sentant son cœur sombrer à l'idée de ne plus pouvoir le protéger.

En effet, tant qu'elle s'occuperait de l'étalon,

Clara, Dan ou toute autre personne connaissant son existence finirait par le trouver.

Nora courut vers le village. Il faisait déjà si sombre qu'elle distinguait à peine le chemin, et le lac au pied des chaumières brillait d'un gris métallique sous les premières étoiles.

La porte de la forge de Ronan MacNichol était ouverte, et Nora s'efforça de passer devant sans s'arrêter, en se demandant si Clara n'était pas déjà en train d'informer le monde entier de sa découverte.

Elle entendit des éclats de rire mais il lui était impossible de comprendre ce qui se disait, et elle se contenta de prier pour que Clara se taise, comme elle l'avait prédit, jusqu'à l'arrivée de Dan Devlin.

Chez Fionn, les filles jouaient près de l'âtre tandis que Mainie nourrissait le bébé sur un tas de joncs frais. Un martèlement régulier venant de l'atelier indiquait que Fionn travaillait encore sur une paire de roues.

Nora mit à chauffer un potage pour le souper et plaça des pierres dans les braises pour réchauffer le petit-lait des filles, en espérant que sa sœur ne verrait pas ses mains trembler.

Plus tard, elle tenta de se laisser distraire par le bavardage incessant de l'aînée à propos de fées et d'elfes, mais elle ne voyait que la cabane dans la vallée où un cheval couleur de nuages et un garçon naufragé l'attendaient pour tenter une dernière fois de s'éclipser.

Le lendemain matin, Nora se leva avant le reste de la famille pour rejoindre la cabane en apportant une miche de pain et une nouvelle corde. Lir l'accueillit en hennissant doucement et se laissa attacher calmement, mais elle ne vit tout d'abord aucun signe de José.

Ce n'est que lorsqu'elle se tint à l'entrée qu'il sortit de l'ombre. Ses yeux exorbités étaient cernés de noir et ses mains tremblaient lorsqu'il prit le pain et le cassa en deux.

— Je n'étais pas sûr que ce soit toi, marmonna-t-il sans lever les yeux.

Nora fut prise de pitié pour le malheureux garçon, et elle rêva d'administrer une bonne paire de claques au minois imbécile et suffisant de Clara Foyle.

— Tout va bien, José. Il ne reste plus que la journée à passer avant de partir pour Killary. Et je crois que Lir ne souffre presque plus de ses blessures.

José ne dit mot. Il se contenta de la regarder par-dessus le quignon de pain qu'il venait d'entamer. Nora regarda le filet doré illuminant les crêtes à l'est et lui sourit, pour le rassurer et lui redonner de l'espoir.

— Il faut que je rentre avant que Mainie ne se réveille. Essaie de te reposer. Je reviendrai avant la nuit.

Elle aurait voulu garantir la sécurité du garçon jusqu'à l'arrivée du navire, mais elle ne pouvait ignorer le danger que représentait Clara, pour José comme pour Lir, sans oublier la menace des militaires anglais.

Pendant toute la journée, Nora tendit l'oreille craignant d'entendre sur la route un bruit de sabots annonçant l'arrivée de Devlin. Mais le seul visiteur fut un jeune homme qui apportait un baril de moules en échange des roues que Fionn avait fini de fabriquer tard dans la nuit.

Mainie, ravie de cette fraîche provision de fruits de mer, confia à Nora le soin de les trier. Assise sur un seau renversé dans un angle abrité de la cour, elle séparait les écailles endommagées des bonnes, qu'elle plaçait dans un seau d'eau salée pour les faire bouillir.

Les filles jouaient avec les coquilles vides, les faisant claquer comme des sabots de chevaux en caracolant autour de la cour sur leurs jambes encore mal assurées. Nora aurait ri de leur chahut si elle avait été moins consciente du soleil qui disparaissait peu à peu derrière le toit de l'atelier.

Elle devait se rendre sans tarder à la cabane et le baril de moules était encore à demi plein.

Bientôt, Mainie appela les enfants pour le souper et Nora se mit à trier les moules plus vite, s'écorchant parfois les doigts sur les écailles acérées.

Soudain, une ombre la recouvrit, et elle leva la tête en s'attendant à voir son beau-frère Fionn lui demander de venir aider à coucher les enfants.

— Bonsoir, Nora Donovan, lança Dan Devlin. Je viens d'avoir une conversation fort intéressante avec Clara Foyle, le croirais-tu ?

Chapitre 28

Nora se leva subitement, semant des coquilles à travers la cour.

— Je... je ne t'ai pas entendu venir, balbutia-t-elle.

— Rien d'étonnant, ces enfants font assez de bruit pour étouffer le galop d'une armée entière. Sans parler de Fionn avec son marteau !

Le ton du marchand de chevaux était tout à fait convivial, comme s'il était venu parler du temps. Trop tard, Nora réalisa qu'elle aurait dû faire taire les enfants afin de pouvoir l'entendre venir.

Elle aurait pu se douter aussi que rien ne le retenait à Galway, pressé comme il était de ratisser la côte à la recherche d'autres chevaux naufragés.

En revanche, elle n'aurait jamais pu empêcher Clara de parler de Lir à Devlin, même si elle l'avait entendu s'approcher. La seule chose qu'elle pouvait faire à présent, c'était de gagner du temps, rejoindre la cabane sans être vue, et partir sans délai avec José et Lir. Sans se soucier davantage des écailles éparses, elle ramassa un seau vide.

— Je ne peux pas m'arrêter pour l'instant, Dan. Il faut que j'aille traire la vache.

— Eh bien dis donc ! s'exclama Devlin, comme s'il compatissait avec Nora face à sa charge de travail. Alors je t'accompagne !

Il aligna son pas sur le sien, et se mit à traverser sans un mot le champ où la vache paissait tranquillement sous un arbre.

— C'est bien toi que j'ai aperçue à Galway, n'est-ce pas ? demanda-t-il d'un ton badin, comme s'ils se rencontraient souvent dans l'enceinte de la ville.

Nora jugea inutile de mentir.

— Tout à fait.

Devlin l'observa du coin de l'œil.

— Serait-ce lié au cheval espagnol dont m'a parlé Clara ?

Nora se raidit.

— Non. Il n'y a aucun rapport. Pourquoi y en aurait-il ?

Le marchand fit un geste négligent de la main.

— Peu importe. Quelle que soit la raison, ça ne m'intéresse pas.

Il n'y avait dans ces mots aucune menace, si bien que Nora se demandait s'il allait en rester là, en lui laissant son secret.

Ce ne fut pas le cas.

— En revanche, ça pourrait intéresser tes parents, tu ne crois pas ?

Nora s'arrêta net et lui fit face, une main sur la hanche.

— Qu'est-ce que tu attends de moi, Dan Devlin ? demanda-t-elle, furieuse.

Le marchand fit un pas en arrière, les mains levées, son visage exprimant un faux désarroi.

— Doucement, Nora. Il n'y a pas lieu de se fâcher. Après tout, il se peut que je fasse partie de ta famille, un beau jour.

Il lui fit un clin d'œil, et Nora aurait voulu lui dire sur-le-champ ce qu'en pensait sa sœur Meg. Elle se contenta de resserrer la main sur l'anse du seau.

Devlin continua de traverser le champ, les mains enfouies sous sa cape, et se retourna, l'air pensif.

— Tu sais, je me suis toujours dit que si quelqu'un devait prendre sur soi de sauver un cheval d'un naufrage, ce serait toi, Nora Donovan. Prends ça comme un compliment, je t'en prie.

Il lui sourit, et Nora sentit le seau vibrer dans sa main.

— Il faut reconnaître que personne n'a ton adresse avec les chevaux. Et par Marie et tous les saints du paradis, il s'avère que j'avais raison. Clara m'a dit que c'est un bel étalon que tu caches là dans la vallée. Ce serait vraiment dommage que je n'aie pas l'occasion de m'en rendre compte de moi-même, ne crois-tu pas ?

Nora resta de marbre, ne se sentant pas obligée de répondre.

— Il me semble que nous pourrions trouver un terrain d'entente, persista le marchand. Tu me montres où tu as caché le cheval, et je ne dis pas à tes parents que je t'ai vue à Galway.

Nora posa le seau sur l'herbe, luttant contre l'envie de le balancer dans la figure de Devlin.

— Je ne vois pas pourquoi tu as besoin de moi, puisque Clara t'a déjà dit où il se trouvait ?

Le marchand écarta les mains pour s'expliquer.

— C'est simple. Comme je l'ai dit, personne

ne sait manier les chevaux comme toi, et moi, j'aime bien me simplifier la vie. Ces étalons espagnols sont plutôt coriaces, comme tu as dû t'en rendre compte. Et le fait que tu aies déjà apprivoisé celui-ci à ma place me sera très utile. Je m'en voudrais à tout jamais de l'effaroucher et qu'il s'enfuie dans les montagnes.

Nora savait qu'elle n'avait pas le choix, qu'il fallait céder, en espérant que le marchand la laisse tranquille suffisamment longtemps pour lui permettre de s'échapper. Elle haussa les épaules comme si elle admettait sa défaite.

— Bon. Je t'emmènerai le chercher demain matin.

Un sourire triomphal illumina le visage osseux de Devlin.

— Marché conclu ! Tu ne regretteras pas de m'avoir aidé, Nora. Je trouverai pour cet étalon une demeure bien meilleure que les landes et les montagnes, tu le sais bien.

Nora domina la rage qu'elle sentait monter en elle, imaginant Lir en cheval de guerre, se risquant à attaquer les troupeaux d'un chef rival, ou transportant sur des pavés glissants une grosse femme de notable dodelinant sur son dos. Elle se contenta de hocher la tête et ramassa le seau.

— Je peux traire cette pauvre vache, maintenant ?

— Bien sûr, répondit Devlin en levant les sourcils, comme s'il était surpris qu'elle lui demande la permission.

Il resserra sa cape autour de ses épaules et se dirigea vers les chaumières.

— Je te verrai bientôt, Nora Donovan, lança-t-il par-dessus l'épaule.

— Pas si je t'aperçois en premier ! marmonna la jeune fille.

Il faisait nuit noire, la lune n'était pas plus grande que l'extrémité d'un ongle dans un ciel sans nuage. Nora courait le long du chemin, sa cape flottant derrière elle, s'imaginant qu'on pourrait la prendre pour une sorte de spectre des landes, de harpie portée par le vent, prête à fondre sur les voyageurs imprudents.

Elle avait été surprise par le temps, et ils allaient devoir chevaucher plus vite, pour gagner Killary avant minuit. Après avoir trait la vache, elle informa Mainie et Fionn qu'elle allait passer la soirée chez Ronan qui recevait des musiciens ambulants. Sa sœur n'avait pas trouvé étrange que Nora ait voulu passer la soirée avec Clara et lui avait simplement demandé de ne pas faire de bruit en rentrant.

Bien évidemment, elle avait évité de passer par la forge, de peur que Dan Devlin la guette, quoiqu'il lui fît probablement confiance, du moins jusqu'au lendemain matin, tant il était suffisant et sûr de l'effet de sa menace.

Lir grogna et se recula, effarouché mais heureusement retenu par la corde, lorsque Nora déboucha dans la clairière de la pinède. Silhouette grise et floue, on aurait dit un cheval fantôme soufflant dans l'air nocturne des nuages de vapeur. La jeune fille s'en approcha pour le calmer et le détacher, certaine de le guider de sa seule voix.

— J'ai cru que tu avais changé d'avis, murmura José, de l'entrée de la cabane.

— Je suis là, tu le vois bien. Tu es prêt ?

Le garçon hocha la tête, son visage pâle comme la robe de l'étalon. Elle constata qu'il portait l'épée d'Aughnanure. Autant la notion d'être amené à s'en servir l'horripilait, elle reconnut qu'il valait mieux partir armé que compter uniquement sur la rapidité de Lir pour les tirer d'affaire.

José la dévisageait.

— Que s'est-il passé ? demanda-t-il. Quelque chose ne va pas. Je le vois bien.

Nora suivait du regard le bout de la corde qui glissait dans l'herbe vers elle tandis qu'elle l'enroulait.

— J'ai rencontré Dan Devlin. Il... il est au courant pour Lir. Mais il ne sait rien de ta présence. Clara ne lui aura parlé que de l'étalon.

— Il ne t'a pas suivie ? s'inquiéta José en scrutant les arbres autour de la clairière.

— Je ne crois pas. Je lui ai dit que je l'amènerais ici demain matin, quand il fera jour. Il craint d'effaroucher Lir s'il venait sans moi.

— Rien ne dit qu'il se fie suffisamment à toi, dit José, faisant écho aux craintes de Nora. Partons tout de suite !

Il saisit Nora par la taille et la souleva sur le dos de l'étalon, puis leva la tête vers elle, l'air grave, ses doigts effleurant sa jambe.

— Courage, Nonita. Ce n'est pas ta faute si cet homme connaît l'existence du cheval. En partant dès maintenant, nous serons saufs.

Nora acquiesça de la tête, essayant de tirer force de ses paroles. « Nous y sommes, songea-t-elle. Si tout se passe bien, ce sera notre dernier voyage ensemble. »

Elle ne put se garder de penser que si cette nuit marquait pour José le premier pas vers la liberté, il n'en était pas de même pour Lir, que le danger guettait plus que jamais.

José se hissa derrière elle et ils quittèrent la pinède pour traverser la vallée. Le lac luisait, vaste et sombre, le clapotis sur la rive à peine audible. Nora n'entendit d'abord que le choc des sabots de Lir sur la terre, puis elle perçut d'autres sons apportés par la brise, ceux du troupeau de Fiach paissant non loin de là.

Nora ne résista pas à la tentation. Après avoir jeté un bref coup d'œil à José par-dessus son épaule, elle lâcha d'une main la crinière de l'étalon et, portant ses doigts à sa bouche, lança un sifflement strident.

Alarmé, Lir dressa la tête, et elle le rassura de plusieurs tapes sur l'encolure.

— On pourrait nous entendre, protesta José, mais Nora le fit taire d'un geste de la main.

La foulée de Lir ne changea pas, mais un autre bruit de sabots se manifesta bientôt, approchant de plus en plus. La jeune fille scruta l'obscurité, craignant soudain que Fiach ait décidé d'attaquer à nouveau son adversaire pour avoir osé s'introduire encore sur son territoire. Elle sentit que José, se crispant, main sur l'épée, partageait son inquiétude.

Lir ralentit, puis fit volte-face, ses oreilles pointées, les naseaux frémissants. Une forme brune surgit de l'obscurité et vint s'arrêter face à eux, les flancs vibrants, les membres éclaboussés de tourbe.

— Dunlin ! s'écria Nora, ravie.

Elle se pencha pour gratter les petites oreilles velues de la jument, qui réagit en soufflant sur sa main.

Déjà, José se laissait glisser au sol, tenant l'épée avec prudence. Il frotta l'encolure de Dunlin, puis grimpa sur son dos en adressant un sourire à la jeune fille.

— Nous pouvons voyager plus vite à présent !

Il talonna les flancs du poney qui se lança en avant, disparaissant dans l'obscurité.

Nora se pencha sur la crinière de Lir et y plongea ses doigts.

— Vas-y, mon grand, lui souffla-t-elle.

Et comme s'il l'avait comprise, ramassant ses postérieurs sous lui, il bondit en avant au plein galop, absorbant le terrain de ses longues enjambées souples et aisées.

Ils chevauchèrent côte à côte, jusqu'à l'extrémité du lac où, tout à coup, un terrain dur et rocailleux succéda à l'herbe. Des touffes éparses de tourbe glissante forcèrent les chevaux à ralentir l'allure pour gravir les premières pentes de la montagne.

Nora laissa la jument passer en tête, la sachant capable de suivre des pistes invisibles à travers les escarpements et les éboulis.

Enfin, le vent leur apporta un bruit de vagues battant les rochers, et bientôt, chevaux et cavaliers accédèrent à un plateau surplombant un bras de mer qui miroitait sous le faible clair de lune.

C'était le havre de Killary, une longue baie rectiligne pénétrant la côte sur plus de deux lieues, aux eaux suffisamment profondes pour accueillir les grands navires, mais aux parois trop abruptes pour abriter les barques de pêche ou de commerce local.

— Nora, regarde, là !

La voix de José vibrait d'émotion tandis qu'il désigna du doigt la silhouette d'un navire ancré au milieu de la baie. Pendant qu'ils la regardaient, une ombre minuscule s'en détacha et se dirigea lentement vers une étroite plage de galets au pied de la montagne.

D'après sa trajectoire, Nora devina que la barque gagnait le rivage pour prendre à bord les marins naufragés. Juan de Luca leur avait dit la vérité, et José avait enfin l'occasion de regagner son cher pays.

De minuscules formes apparurent sur la plage, une ou deux d'abord, puis tout un essaim, s'avançant sans hésiter dans l'eau, à la rencontre de l'embarcation.

— Il y en a d'autres ! Dieu merci, je ne suis pas le seul à survivre, murmura José en espagnol.

Il empoigna la crinière de Dunlin, prêt à dévaler la pente pour rejoindre ses compatriotes, mais Nora le retint d'un geste de la main.

Elle venait d'apercevoir un mouvement, plus loin dans la vallée. Elle plissa les yeux et, scrutant l'obscurité, vit l'ombre s'allonger, révélant une colonne de cavaliers, la lune se reflétant de-ci de-là sur une épée, un mors ou un éperon.

« Oh Seigneur, non ! se dit-elle, sentant fondre tous ses espoirs. Des soldats anglais ! »

Les hommes sur la plage n'avaient pas vu s'approcher les chevaux. Leur course sur les galets et dans l'eau recouvrait sans doute le martèlement des sabots et le cliquetis du métal.

Nora eut l'impression que son sang se glaçait. Jamais elle ne pourrait supporter d'assister à la charge de l'escadron contre les malheureux réfugiés. Elle fit faire volte-face à l'étalon, le plaçant face à la montagne.

— Viens, José, cria-t-elle. Les soldats ne nous ont pas vus. Nous pouvons encore nous cacher !

Le garçon lui lança par-dessus l'épaule un regard sombre et fougueux.

— Je me suis déjà sauvé en laissant mourir mes compagnons. Cette fois, je reste et je me bats !

Sur quoi, il empoigna fermement l'épée dans sa main droite et talonna les flancs de Dunlin qui s'élança vers le bas de la montagne.

Lir lança sa tête en arrière et s'ébroua lorsque la jument disparut dans l'obscurité. Nora serra ses jambes et fixa avec horreur l'espace abandonné par José, n'en croyant pas ses yeux. Un bruit de pierres entrechoquées, en contrebas, lui indiqua que Dunlin et son cavalier étaient presque arrivés au pied de la longue pente.

Nora ferma un instant les yeux, songeant à la chaumière de son père, tranquille et sauve de l'autre côté des montagnes. Reverrait-elle jamais Errislannan ? Sa vie avant le naufrage lui paraissait légère, évanescente telle une brume. C'était comme si cette existence avait appartenu à quelqu'un d'autre.

Elle ouvrit les yeux, respira profondément et lança l'étalon à la suite de la jument.

Le sol penchait presque à la verticale, véritable cascade d'éboulis sur lequel Lir plongeait tête baissée tout en donnant l'impression que ses sabots touchaient à peine la rocaille. Nora s'agrippait à sa crinière avec l'énergie du désespoir, craignant d'être jetée à tout moment, au risque de se retrouver en bas avant lui.

Le sol redevint soudain horizontal, et Lir s'efforça de ramener ses postérieurs sous lui, les oreilles aplaties et les yeux exorbités, et Nora eut juste à temps le réflexe de se redresser et de glisser en arrière. L'étalon repartit alors sans flancher, galopant furieusement à travers champs jusqu'au bord du havre.

Dunlin, à quelque distance devant, avait presque atteint la rive et José brandissait l'épée au-dessus de sa tête, hurlant avec fureur dans sa langue natale. Sur la plage, les marins espagnols se retournaient, confus, indécis, et s'interpellaient entre eux.

Du coin de l'œil, Nora voyait l'escadron anglais approcher au grand galop sur le fond de la vallée, dans un silence menaçant et terrible. En revanche, les Espagnols semblaient se mouvoir en eaux profondes, tant ils paraissaient lents et désorganisés.

— Faites attention ! hurla Nora en irlandais. Courez ! Fuyez !

— Mais qui c'est ? s'étonna l'un des marins, scrutant l'obscurité.

— *Madre de Dios* ! s'exclama un autre. On dirait José Medovar ! Mais que fait cette fille, là-bas ?

Dunlin s'arrêta en dérapant au bord de la plage, et José se retourna, grimaçant de fureur à la vue de Nora.

— Va-t'en ! hurla-t-il. Ce n'est pas ton combat !

Lir rattrapa la jument en quelques foulées et s'arrêta net à sa hauteur. Nora se retrouva couchée sur son encolure et obligée de se repousser en arrière d'une manière gauche et indigne.

— Ce n'est pas maintenant que je vais t'abandonner ! répliqua la jeune fille.

Puis les soldats anglais se ruèrent sur les malheureux fugitifs et tout s'engouffra dans un tourbillon de cris de guerre ou de terreur et de crissements des galets sous les fers des chevaux.

Certains marins espagnols se précipitèrent vers la montagne tandis que d'autres saisissaient des monceaux d'épaves ou des pierres pour se défendre contre les soldats qui brandissaient leur arme comme une faux, le visage invisible, donc terrifiant, sous leur casque.

José se jeta dans la mêlée, volant par-dessus les galets sur son poney velu, tel un ancien guerrier irlandais. Nora s'accrocha, impuissante, lorsque Lir s'élança sur les traces de la jument, les deux bêtes quelque peu effarouchées par les fuyards et la mêlée.

Soudain, un grand cheval de guerre bai, la robe brillante couverte d'écume, s'écarta de la troupe pour faire face à José et Nora, qui durent arrêter brusquement Lir et Dunlin. Le cavalier ganté tira sur les rênes d'un geste si sec que sa monture se cabra et Nora sentit son ventre se nouer en reconnaissant le sourire qui se dessinait sous l'ombre du casque.

— Encore toi ? lança le capitaine Money en anglais au jeune Espagnol. Tu as eu la chance de m'échapper une première fois, mais si tu te figures que tu vas quitter ce fichu pays vivant, tu te fais des illusions.

La situation semblait l'amuser, comme un chat lorsqu'il joue avec une proie impuissante. Il tourna ses éperons vers l'intérieur, prêt à faire bondir sa monture.

— Je te verrai mort d'abord ! cracha José en parfait anglais, serrant les doigts autour de la poignée de son épée.

Nora se figea. Le sang lui bouillonnait tellement dans les oreilles que les bruits de lutte et les cris des hommes s'estompèrent. Elle ne voyait plus que José et le capitaine anglais se faisant face, les armes pointées.

Elle crut un instant que son cœur avait cessé de battre, mais elle l'entendit résonner de plus en plus fort, quelque peu surprise du silence régnant par ailleurs.

Or, son cœur était hors de cause. Un battement de tambour retentissait dans la nuit avec une cadence lente et lugubre. Les soldats, intrigués, baissèrent leur arme et se tournèrent pour voir ce qu'il se passait. José écarquilla les yeux en portant un regard incrédule au-delà des épaules du capitaine Money.

Comme lui, Nora distingua, noires contre le ciel de nuit, des silhouettes de plus en plus nombreuses recouvrir progressivement une dune qui surplombait la plage.

L'une d'elles se détacha, plus grande, plus robuste. La jeune fille réalisa que c'était un homme à cheval. Il leva un bras au bout duquel une hache à double tranchant brillait sous le clair de lune.

— En avant ! cria-t-il.

La masse d'hommes, élevant dans la nuit une clameur terrifiante, se mit à dévaler la pente et investir la plage. Certains guerriers montaient des poneys laineux comme la jument de José, tandis que les autres, plus nombreux, couraient à pied, sautant par-dessus les roches et les buissons, rivalisant de vitesse avec les bêtes.

José se tourna vers Nora et lut, reflété dans ses yeux, son grand étonnement lorsqu'elle prononça, comme hypnotisée, le nom du chef de son clan.

— Murray O'Flaherty !

Chapitre 29

Égarée au milieu du tumulte, l'esprit confus, Nora se demanda jusqu'où Murray O'Flaherty pousserait la perfidie.

Non content de livrer aux Anglais les naufragés qu'il avait promis de protéger, voici qu'il venait aider à exterminer les survivants.

Quel degré de traîtrise était-il prêt à atteindre pour garder son précieux château ?

Et quel besoin avait-il de prêter main forte à un escadron entier de cavaliers armés, disposés à massacrer une poignée de marins affamés et sans défense ?

Le capitaine Money sourit triomphalement et brandit de nouveau son épée. Derrière lui, un brigadier héla joyeusement le déferlement de guerriers irlandais.

Or, son cri fut coupé court et son corps tomba lourdement au sol, le cœur percé d'une flèche.

Les autres cavaliers anglais se mirent à crier, alarmés cette fois, et leurs montures dérapèrent frénétiquement sur les galets tandis que les épées s'entrechoquaient contre les haches à long manche.

Le visage du capitaine s'assombrit et il fit tourner son cheval.

— Qu'est-ce qui se passe ? rugit-il, en fendant l'air de son arme, comme s'il était assailli par une nuée d'insectes.

Une silhouette robuste aux larges épaules se manifesta et Murray O'Flaherty sortit de l'obscurité. Il jeta un regard en passant sur José et Nora, ses yeux s'élargissant légèrement à la vue de Lir, puis s'adressa au capitaine.

— Il semblerait que votre parole vaut encore moins que la mienne, grogna-t-il en anglais. Vous m'aviez promis que vous ne toucheriez pas aux miens si je vous livrais les Espagnols. Or, hier, le fils d'un des miens a été abattu par l'un de vos hommes sous prétexte qu'il chassait le daim. Je vous ai affirmé maintes fois que ce sont *mes* cerfs dans *ma* forêt, et que votre cupide et lointaine reine n'a rien à y voir. C'est folie de votre part d'avoir cru que je n'aurais pas vengé cette mort.

Derrière lui, ses mercenaires et ses kerns poussèrent des cris de victoire lorsque les cavaliers anglais, l'un après l'autre, talonnèrent leurs chevaux et s'enfuirent au galop.

Les Espagnols, sentant le renversement de situation, s'avancèrent en brandissant leurs armes de bois et Nora ressentit une vague d'espoir.

Mais elle vit un soldat se précipiter tout à coup vers Murray O'Flaherty, l'épée levée, prêt à l'abattre. Elle hurla pour avertir son chef, tout en sachant que c'était trop tard.

Soudain, l'homme se dressa sur ses étriers, s'arc-boutant en arrière, et lâcha son épée pour essayer d'arracher une petite hache à double tranchant plantée dans son dos. Un poney l'effleura au galop. Son cavalier à la tignasse et aux vêtements couleur de renard se pencha pour reprendre juste à temps l'arme qu'il avait lancée de loin.

Le soldat finit de tomber à la renverse, raide mort. Le mercenaire écossais arrêta son poney à hauteur de Murray O'Flaherty.

Les deux hommes échangèrent un regard, celui du rouquin animé d'une lueur sauvage qui reflétait, tout comme sa tenue ensanglantée, son dévouement envers son métier et son employeur.

— Tu m'as sauvé la vie une fois de plus, Alaric Campbell, constata le chef d'un ton calme.

L'autre acquiesça de la tête sans mot dire et fit faire demi-tour à sa monture pour retourner s'assurer de la victoire.

O'Flaherty se retourna vers le capitaine.

— Vous feriez bien de partir avant que mes hommes n'aient plus personne à se mettre sous la dent...

Le militaire le dévisagea un instant, ses yeux bleus luisant froidement sous la visière de son casque.

— Ce n'est pas fini entre nous, promit-il avant de talonner les flancs de son cheval.

Murray le suivit du regard jusqu'à ce qu'il disparaisse dans la nuit, puis se tourna vers Nora.

Leurs yeux étaient à niveau égal, puisque son cheval était d'une main plus bas que Lir.

La jeune fille tortillait ses doigts dans la crinière de l'étalon, craignant ce que Murray O'Flaherty aurait à dire sur la présence d'une fille de son clan au milieu d'un champ de bataille, perchée de surcroît sur un cheval qu'il pensait lui revenir de droit.

— Honora Donovan, gronda le vieux chef. J'ai devant moi une jeune fille remarquable. Tu viens dans mon château déposer un marin naufragé et un étalon espagnol, pour me les voler, l'un et l'autre, à peine deux jours plus tard ! Je connais peu d'hommes si courageux... ou si fous. Je ne puis qu'espérer que tu te montres aussi loyale envers tes proches qu'envers ce garçon et ce cheval.

Il se tut un instant pour admirer Lir qui dressait les oreilles comme s'il écoutait les paroles du chef.

— Je serais prêt à payer un bon prix pour un si bel animal, mais... quelque chose me dit qu'il n'est pas à vendre. N'ai-je pas raison ?

Nora secoua la tête avec fermeté, son soulagement la rendant hardie.

— Tout à fait, déclara-t-elle en caressant l'encolure de Lir.

Le visage buriné du vieillard se fendit d'un large sourire.

— Alors je compte sur lui pour te ramener saine et sauve à Errislannan. Je suppose que tu vas rentrer seule ?

Il dirigea un regard las vers le bas de la plage où les Espagnols s'efforçaient de stabiliser l'embarcation contre les vagues et grimpaient à bord l'un après l'autre.

Nora ressentit un pincement au cœur en voyant José observer la barque, les yeux emplis d'espoir.

— Oui, je vais rentrer seule.

— Que Dieu te garde ! lança Murray O'Flaherty au garçon, en levant sa hache en signe d'adieu. Crois-moi, je suis heureux de te voir partir.

José hocha la tête, et Nora se demanda s'il devinait que l'attaque de ce soir venait compenser la dénonciation des marins espagnols quatre jours plus tôt.

O'Flaherty fit tourner son cheval et rejoignit au trot ses hommes qui se rassemblaient, quelques-uns boitant ou s'étreignant les bras, les doigts collés de sang, mais pas un ne restait inanimé sur les galets.

Nora vit Ken Foyle aider un compagnon à enfourcher son poney. Sa veste était tachée de sang, mais de par ses mouvements, il semblait indemne. Nora évita toutefois de regarder les corps des deux soldats anglais gisant sur la grève.

Un cri s'éleva du côté du bateau.

— Alors, José Medovar, tu viens, oui ou non ?

— Pedro Vélasquez ! s'écria joyeusement le garçon. Je te croyais perdu avec le bateau !

— Moi ? Jamais ! rétorqua un robuste gaillard au nez crochu. J'ai flotté sur un tonneau jusqu'à la rive où un prêtre vêtu en paysan m'a trouvé. Il m'a emmené avec ces compagnons dans une petite hutte au milieu de nulle part, où il nous a apporté de quoi nous sustenter jusqu'à ce qu'il ait entendu parler du navire.

Nora comprit, non sans mal, l'essentiel de ce qu'ils se disaient. Ainsi le père Francis n'avait pas été le seul prêtre à aider les naufragés en danger.

José s'adressa de nouveau à son camarade dans leur langue.

— Y a-t-il quelqu'un d'autre de notre navire ?

Le visage du garçon s'assombrit en entendant la réponse.

— Non. Pas que je sache... Nous avons eu de la chance, toi et moi.

L'homme resta silencieux quelques instants.

— Et qui as-tu apporté avec toi ? demanda-t-il enfin, d'un ton moins solennel.

José sourit, et la jeune fille fut confortée par la fierté dans sa voix.

— Je te présente Nora Donovan. Elle a risqué sa vie pour moi, et plus d'une fois ! Pour ce cheval aussi.

Pedro fronça les sourcils et s'apprêtait à parler lorsqu'il fut interrompu par un cri provenant de la barque.

— Allons ! Dépêchez-vous, vous deux ! Vous attendez que ces porcs d'Anglais décident de revenir ?

— D'accord, on y va ! lança Pedro en commençant à patauger vers l'embarcation.

José passa la jambe par-dessus la croupe de Dunlin et se laissa glisser au sol.

— Adieu, petit poney. Et merci ! dit-il en pressant brièvement son visage contre l'encolure de la jument.

Il leva vers Nora des yeux où se lisait l'émotion, puis se tourna et commença à marcher sur les galets en épargnant tant que possible sa jambe blessée.

— Attends ! s'écria Nora en talonnant Lir jusqu'à hauteur du garçon. Je... tu... ça ne peut pas faire du bien à ta jambe, de la mouiller encore. Grimpe derrière moi et Lir te déposera dans le bateau.

Elle savait qu'elle racontait n'importe quoi, pour ne pas le laisser partir comme ça. Pas tout de suite. Un sourire effleura les lèvres de José. Il lui prit la main et se hissa derrière elle.

Il resta assis sans dire un mot, et elle sut avec certitude qu'aucune parole ne pourrait exprimer leurs sentiments.

Une clameur joyeuse s'éleva de la barque, mais Nora n'y prêta pas attention et poussa

Lir à braver les vagues. L'étalon hésita avant d'entrer dans l'eau, courbant l'échine et reniflant l'écume qui bouillonnait autour de ses jambes. Puis il s'avança et des mains obligeantes aidèrent José à embarquer.

Allégé de son poids, Lir fit un pas de côté et Nora serra les genoux pour le stabiliser. Elle avait la gorge serrée et des larmes embrumaient sa vue.

José, agenouillé au fond de la barque, se penchait vers elle, la sollicitant du regard, et Nora sentit comme un fardeau opprimer son cœur.

— Je ne veux pas te quitter, Nonita, chuchota José dans le silence qui les entourait. S'il te plaît, viens avec moi !

Chapitre 30

Nora eut une vision de maisons aux murs blancs sous un chaud ciel bleu, avec des fruits ronds, teintés de soleil, pendant aux arbres entre d'épaisses feuilles vertes.

Elle se vit chevaucher, en compagnie de José, de grands étalons gris semblables à Lir, leur longue queue couleur d'écume flottant dans la brise au-dessus d'un sol sec et poussiéreux.

Le naufrage avait déjà changé sa vie à tout jamais. Sa famille se remettrait-elle de son absence si elle ne rentrait pas ?

Lir s'ébroua et raidit les genoux à l'approche d'une vague, et Nora se retrouva soudain dans les montagnes du Connemara avec le fracas des brisants contre les rochers.

— José, je ne peux pas, répondit-elle, son âme débordant de tristesse. Ma place, c'est ici. Je suis désolée, tu sais.

Le garçon lui tint le visage entre ses mains, son regard plein de compassion.

— Je sais, Nonita, murmura-t-il en lui déposant un baiser sur la joue. Je ne t'oublierai jamais. Mais jamais. Je raconterai à mes enfants, et aux enfants de mes enfants, la belle jeune fille qui a risqué sa vie pour moi et qui galopait dans les montagnes avec les chevaux les plus sauvages...

La barque s'ébranla, les hommes commençant à ramer en silence.

— ... et tous les habitants de Cadix sauront que tu as le cœur le plus gros et le plus courageux que j'aie jamais connu...

Sa voix s'estompa sous le bruit des rames frappant l'eau, et Nora se surprit à rire malgré les larmes qui lui coulaient sur les joues.

— Adieu, José Medovar ! cria-t-elle dans l'obscurité.

Il n'y eut pas de réponse. L'éclaboussure des rames disparut à son tour sous le chuintement des vagues, et rien ne révélait dans la nuit noire la présence, dans la baie, du navire qui allait emporter ces hommes chez eux.

Nora ne pouvait plus rien faire pour José, elle avait tout sacrifié pour l'amener jusqu'ici. Il ne lui restait qu'à prier que son voyage soit court et que son père puisse voir enfin se dessiner à l'horizon les voiles tant espérées.

La jeune fille fit faire demi-tour à l'étalon et ils remontèrent sur la plage où Dunlin les attendait, les oreilles dressées, sa silhouette brun clair se détachant de la grisaille des galets.

La nuit semblait se refroidir et s'obscurcir de plus en plus tandis que les chevaux regagnaient les montagnes. Nora resserra sa cape et laissa Lir frayer son chemin sur les sentiers rocailleux. Il avançait sans peine, tête basse, posant chaque sabot avec précision sans se laisser émouvoir par les éboulis.

Elle pensa à leur première cavalcade ensemble et s'étonna qu'elle ait pu craindre d'être désarçonnée par ses longues enjambées. Dunlin, devant eux, trottait avec confiance et s'élança au petit galop quand le terrain devint plus plan près du lac.

Nora imagina José debout sur le pont du navire, ses cheveux noirs flottant au vent tandis qu'il scrutait l'océan sans fin dans l'espoir d'apercevoir sa terre natale.

Sans lui, les montagnes paraissaient encore plus désertes et, quand une forme traversa soudain leur chemin, elle poussa un cri d'effroi, se reprochant aussitôt, le cœur battant encore la chamade, d'avoir eu peur d'un lièvre.

La surface argentée du lac Inagh s'étendait devant eux, jusqu'au pied des montagnes du Connemara. Dunlin rua et exécuta quelques pas au petit galop, comme si elle se savait de nouveau chez elle, avant de ralentir pour venir trotter à côté de Lir.

D'ici, Nora pouvait continuer à pied pour atteindre Sraith Salach avant l'aube. La chance aidant, Mainie n'aurait pas remarqué qu'elle avait passé la nuit dehors, et elle pourrait peut-être même dormir un peu avant que les enfants se réveillent.

Et puis elle décida de rentrer bientôt à Errislannan de son propre chef. Si elle devait paraître désormais plus volontaire, mieux disposée à parler aux gens et participer aux fêtes à Aughnanure, ses frères et sœurs n'y verraient que l'effet d'une plus grande maturité.

Sauver José et l'aider à s'évader hors du pays avait été l'acte le plus dangereux, le plus courageux et le plus imprudent que Nora ait jamais entrepris, mais elle avait réussi.

Désormais, personne ne pourrait la faire douter de son courage ni de sa présence d'esprit.

Elle contempla les larges épaules de l'étalon, sachant que le plus pénible était à venir. Pendant quelques secondes, elle nourrit l'idée de ramener Lir à Errislannan et de persuader ses parents de le garder comme bête de somme.

Il serait prêt à prendre la place de Ballach quand elle deviendrait trop vieille pour parcourir le chemin jusqu'à Sraith Salach et Aughnanure.

Mais il était trop grand et trop puissant pour tirer leur vieille charrette et il nécessitait plus d'herbe que leur petit arpent de pâturage ne pouvait fournir.

De plus, Dan Devlin le trouverait rapidement, l'emporterait pour le vendre à un chef de guerre en échange de son silence sur la visite de Nora à Galway.

La seule condition pour que Lir reste libre, c'était qu'il demeure ici, au cœur des montagnes où peu de gens s'aventuraient, hormis les kerns de Murray O'Flaherty lorsqu'ils surveillaient ses troupeaux.

Ou encore le père Francis quand il se rendait de village en village, sans craindre les fées et les spectres des marais qui sévissaient dans les vallées. Nul d'entre eux ne prêterait attention à un poney sauvage à la robe couleur de nuages et dépassant les autres de plusieurs mains.

Même si Dan Devlin devait, par dépit, la dénoncer à ses parents, eh bien, elle subirait le châtiment qu'ils jugeraient bon de lui infliger, peut-être rendus indulgents par le soulagement de la voir saine et sauve.

Elle pourrait toujours leur promettre en toute sincérité de ne jamais retourner à la ville. Et puis, après tout ce qu'elle avait vécu ces derniers jours, aucune punition ne saurait l'émouvoir.

Une brise fraîche balaya la surface du lac. Lir fit quelques pas de côté, sa longue crinière flottant au vent. Nora serra brièvement ses genoux et rit de joie lorsqu'il entama un galop allongé, l'encolure courbée et le museau collé contre son poitrail. Elle se pencha en avant et le fit accélérer dès qu'il foula de nouveau l'étendue d'herbe le long du lac.

Ils galopèrent de plus en plus vite, dépassant Dunlin, et Nora, les cheveux au vent, s'assit toute droite, ses doigts entrelacés dans les crins du cheval. Elle imaginait que sous une simple pression de talons, l'étalon serait capable de sauter par-dessus le lac et les montagnes et de s'élever là-haut, au-delà des nuages.

Ils atteignirent l'extrémité du lac aux reflets argentés. Continuer les rapprocherait trop de Sraith Salach et de la route d'Errislannan à Aughnanure. Si Nora voulait libérer l'étalon, il fallait le faire ici, et maintenant, à l'abri d'éventuels témoins.

Lir ralentit au trot, en secouant la tête et en battant délicatement l'herbe mouillée sous ses sabots. Nora l'arrêta d'une simple pression sur sa crinière et se laissa glisser au sol, les joues déjà baignées de larmes à la pensée de ce qu'elle devait faire. L'étalon baissa la tête pour renifler les traces d'eau salée sur son visage.

— Tu es le cheval le plus précieux et le plus beau que j'aie jamais connu, lui chuchota la jeune fille en s'approchant de son encolure. Si je te laisse ici, c'est pour ton bien, je te l'assure.

Elle se recula, balayant d'un geste brusque les larmes qui coulaient sur son menton.

— Va, Lir, pars ! lui murmura-t-elle en lui désignant d'un geste les montagnes au-delà du lac. Je ne peux pas te garder. Va ! Tout ça t'appartient !

L'étalon se tourna et souffla par ses naseaux, secouant sa tête de sorte que son toupet lui recouvrît un œil.

— Allez, va-t'en ! s'écria-t-elle en agitant les bras pour le chasser, comme quand la vache refusait d'entrer dans la chaumière le soir tombant.

Il fallait qu'il comprenne qu'il n'avait plus besoin des humains pour s'occuper de lui et lui trouver à manger. Quelle que fût sa vie antérieure en Espagne, le sort avait changé tout cela en l'amenant jusqu'à ces montagnes au ciel gris.

— Je ne peux plus être ton amie. Personne ne le peut. Tu es un cheval sauvage, maintenant.

Nora pleurait tant qu'elle avait du mal à parler, et Lir la regardait avec curiosité, les oreilles dressées.

— Va-t'en, je t'en supplie, sanglota-t-elle.

Elle crut que son cœur se briserait, à le rejeter ainsi, à lui faire croire qu'elle ne voulait plus de lui. C'était pourtant la seule manière d'assurer qu'il ne se fierait pas à la prochaine personne qu'il rencontrerait, qui pourrait bien être Dan Devlin.

Aussi préférait-elle le voir rejoindre les poneys de la montagne que finir comme cheval de guerre, de promenade ou de parade.

La jeune fille courut vers lui en gesticulant et en trébuchant sur les touffes d'herbe. Lir fit quelques pas, puis se retourna avec la même expression de surprise, comme s'il ne comprenait pas où elle voulait en venir.

Alors elle tomba à genoux, désespérée à la pensée qu'elle ne réussirait pas à le chasser.

Un léger hennissement retentit derrière l'étalon.

Nora leva la tête pour voir Dunlin qui attendait à la pointe du lac.

La jument hennit encore et, cette fois, Lir se retourna, portant la tête si haut que Nora en resta ébahie. Jamais il ne lui avait paru si beau, si semblable à un fougueux cheval de légende.

Là où Nora ne réussissait pas à le faire partir, Dunlin, en revanche, en serait peut-être capable. La jument avait passé dernièrement de moins en moins de temps avec le troupeau de Fiach, et il n'était pas impossible qu'elle s'en détache pour rester près de Lir.

Nora sourit. Fiach ne resterait pas éternellement assez fort pour éloigner Lir. Le cheval espagnol serait alors capable de prendre la tête du troupeau pour donner naissance à une grande lignée de poulains couleur d'écume, aux longues jambes et aux larges poitrines.

— Rejoins-la, murmura-t-elle, et Lir la regarda de nouveau, comme pour s'assurer qu'il était vraiment libre de s'en aller.

La jeune fille resta immobile, pleurant de nouveau quand l'étalon se cabra en hennissant si fort que les montagnes se renvoyèrent longtemps l'écho.

Puis il galopa vers Dunlin.

La jument attendit qu'il ait presque atteint la rive pour s'approcher de lui au trot, la queue levée et soufflant par ses naseaux, la tête basse. Les deux chevaux se reniflèrent, les encolures tendues, comme s'ils ne s'étaient jamais rencontrés.

Puis ils se retournèrent et trottèrent côte à côte vers les premières pentes où ils disparurent dans l'ombre des montagnes.

Nora les suivit du regard tant qu'elle put. Il y aurait d'autres poneys à apprivoiser, ne serait-ce que dans le troupeau de Fiach, le poulain noir de Dunlin en particulier, déjà habitué aux fréquentes visites de la jeune fille.

Mais ces deux chevaux qui s'en allaient là-bas, elle les laisserait tranquilles, à vivre leur vie dans les montagnes où personne ne les trouverait, où l'étalon espagnol oublierait qu'il avait été apprivoisé d'abord par des seigneurs andalous, puis par un brin de fille du Connemara.

— Adieu Lir, adieu Dunlin, chuchota Nora comme ses cheveux fouettaient son visage sous l'effet du vent et séchaient ses larmes. Vivez libres et heureux. Pour toujours.

Le mot du traducteur

« Pourquoi “Honora Donovan”, et la répétition de noms entiers dans les dialogues (Murray O’Flaherty, Dan Devlin, Ken Foyle) ? Ce n’est pas un caprice de l’auteur, mais une coutume qui subsiste parfois de nos jours dans certains pays comme l’Irlande ou l’Écosse. On s’adresse à l’individu, mais aussi au membre de la famille (ou du clan) par respect.

L’Irlande est un pays splendide, malheureusement aride. La famine a poussé tant d’Irlandais à s’expatrier à travers le monde. On peut s’étonner que les gens dorment par terre sur des joncs, tous dans la même chambre, avec le poney et la vache pour tenir chaud et qu’ils soient réduits à se nourrir d’algues (quoique, à l'époque, c'était sans doute un peu comme cela ailleurs...).

Curieux aussi, le mélange de foi religieuse et de superstition. Le prêtre se garde bien de dissuader ses paroissiens de la crainte des fées, des déités de l'océan ou des corneilles dénonciatrices. Il sait que ce serait cause perdue dans le pays du *leprechaun*, lutin purement irlandais que l'on ne trouve nulle part ailleurs.

Patricia Holmes a écrit une aventure fictive, mais sur un fond de vérité : les déboires de la malheureuse Armada, la rivalité entre Irlandais et Anglais, les sites aux noms imprononçables, tels que le château d'Aughnanure qui se dresserait encore. Ont existé aussi les Lynch, de la ville de Galway, et Richard Bingham, chargé par la reine Élisabeth Ire de l'impossible mission de "pacifier" l'Irlande.

Enfin, une légende (?) prétend qu'aujourd'hui, certains poneys irlandais, plus grands et plus robustes que la moyenne, descendent de chevaux rescapés des naufrages de l'Invincible Armada. »

Table des matières

Chapitre 1 11
Chapitre 2 19
Chapitre 3 29
Chapitre 4 39
Chapitre 5 47
Chapitre 6 57
Chapitre 7 71
Chapitre 8 81
Chapitre 9 91
Chapitre 10 101
Chapitre 11 109
Chapitre 12 121
Chapitre 13 129
Chapitre 14 135
Chapitre 15 145
Chapitre 16 155
Chapitre 17 165
Chapitre 18 173
Chapitre 19 187
Chapitre 20 197
Chapitre 21 207
Chapitre 22 213
Chapitre 23 223
Chapitre 24 235

Chapitre 25 249
Chapitre 26 257
Chapitre 27 271
Chapitre 28 281
Chapitre 29 299
Chapitre 30 309
Le mot du traducteur 321

Victoria Holmes

L'auteur a grandi en Angleterre, dans une ferme, où elle a appris à monter à cheval dès l'âge de deux ans. Quand elle n'était pas avec les chevaux, elle aimait lire et écrire ses propres histoires. Elle a étudié à l'université d'Oxford et s'y est découvert un goût prononcé pour l'histoire. Aujourd'hui, Victoria Holmes travaille à Londres, en tant qu'éditrice de livres pour enfants, et s'évade à la campagne dès qu'elle le peut pour monter à cheval et promener son chien, Missy.

Dominique Mathieu

Le traducteur, né à Paris et élevé en Angleterre, est un vrai Européen : il a travaillé à Bruxelles et Francfort et a vécu longtemps à Londres et Rome. Publicitaire, traducteur, prof d'anglais fou de Shakespeare, il a consacré l'essentiel de son temps à la communication internationale. Il vit à Paris avec sa femme, sa fille et son fils, tous franco-américains.

Vivez au cœur de vos
passions

Un cheval peut en cacher un autre
Marie Amaury

n°974

Marine ne supporte pas Hughes, son “beau-père”, et ce dernier le lui rend bien ! Surtout lorsque la jeune fille détruit, par accident, le disque dur de son ordinateur. En guise de punition, Marine se voit contrainte de travailler 13 heures par semaine dans le haras que dirige Hughes. Marine découvre un nouvel univers plein de surprises...